PEGASUS

E A BATALHA PELO OLIMPO

Kate O'Hearn

Pegasus

e a batalha pelo Olimpo

Volume 2

Tradução

Cassius Medauar

LeYa

Título original: *Pegasus and the fight for Olympus*

Direção editorial: Pascoal Soto
Editora: Mariana Rolier
Produção editorial: Sonnini Ruiz
Assistente editorial: Carolina Rodrigues Proença

Preparação de texto: Bete Abreu
Revisão: Bruna Gomes Cordeiro e Viviane Teixeira Mendes
Projeto gráfico e diagramação: Moré Designer
Adaptação de capa: Retina 78

Dados Internacionais de Catalogação na Publicação (CIP)
(Câmara Brasileira do Livro, SP, Brasil)

O'Hearn, Kate
Pegasus e a batalha pelo Olimpo / Kate O'Hearn ; tradução Cassius Medauar. -- São Paulo : Leya, 2011. -- (Coleção Olimpo em guerra ; 2)

Título original: Pegasus and the fight for Olympus

ISBN 978-85-8044-263-2

1. Ficção – Literatura norte-americana
I. Título. II. Série.

11-13484 CDD–813

Índices para catálogo sistemático:

1. Ficção : Literatura norte-americana 813

TEXTO EDITORES LTDA.
(Uma editora do Grupo LeYa)
Rua Desembargador Paulo Passalácqua, 86
01248-010 – Pacaembu – São Paulo – SP
www.leya.com.br

Mais uma vez, este livro não existiria se não fosse pelo amor e apoio da minha família incrível. Nesta aventura, como sempre, grandes amigos aparecem de maneiras que você nunca imaginaria. Os agentes O. e J. são dois jovens muito especiais dos quais gosto muito e que me pediram para fazer com que seus personagens fossem os mais perversos possíveis. Isso é que são amigos legais!

É claro que continuo agradecendo minhas editoras, Anne e Naomi, e a divina Miss V., uma grande agente.

Finalmente, deixo outro apelo a você, meu leitor especial, para que faça tudo o que puder pelos cavalos do mundo. Dos pobres sofredores puxando carruagens que trabalham em condições terríveis pelas ruas de muitas cidades grandes pelo bem do "turismo", até aqueles que são maltratados em qualquer lugar.

Apenas você pode fazer diferença em suas vidas. Eles contam com a ajuda de todos nós, então vamos tentar não deixá-los na mão.

1

O Olimpo era diferente de qualquer lugar em que Emily estivera antes. Era uma ilha da fantasia mágica, cheia de pessoas e criaturas além da imaginação. Um lugar em que a chuva não caía, mas os jardins, de um verde luxuriante, nunca murchavam. Eles floresciam constantemente, preenchendo o ar com suas fragrâncias intoxicantes. O próprio ar parecia estar vivo, sendo doce como mel e com um calor que envolvia você em um cobertor de paz, cheio de sons de pássaros e com insetos que nunca picavam. Se uma abelha pousasse em você, era apenas porque queria um carinho.

As construções no Olimpo eram tão belas e únicas como a própria terra. A maioria era feita de mármore branco e polido com pilares altos e trabalhados que subiam bem alto em direção ao belo céu azul. Havia teatros a céu aberto, onde as Musas dançavam e cantavam para entreter a todos.

Ao longo das largas ruas de paralelepípedo havia estátuas dos mais fortes lutadores e heróis olímpicos. Não tinha nenhum caminhão ou carro jogando poluição no ar. Os Olímpicos caminhavam ou voavam quando precisavam se locomover. Ocasionalmente usavam uma carruagem puxada por cavalos magníficos.

E havia as bibliotecas, mais do que Emily podia contar, cheias de textos vindos dos muitos mundos que os Olímpicos visitavam e protegiam. Alguns de seus livros preferidos estavam na biblioteca que ficava no palácio de Júpiter, trazidos para lá especialmente para ela.

Emily não podia imaginar um lugar mais perfeito.

Mas mesmo vivendo em meio a todo o esplendor do Olimpo, ela se sentia triste.

Emily sentia falta de seu pai e passava todos os momentos em que estava acordada pensando e se preocupando, pois ele estava lá no mundo dos humanos e era prisioneiro da Unidade Central de Pesquisas. A UCP era uma agência secreta do governo obcecada por capturar alienígenas e qualquer coisa fora do comum que pudesse ser usada como arma. Ela tinha sido prisioneira deles durante um curto período de tempo e sabia como eram determinados e cruéis. Agora estavam com seu pai. O que estariam fazendo com ele? Será que o estavam punindo pela fuga dela? Ou pior, será que o mataram? Muitos medos e perguntas sem resposta apertavam seu coração. Ela jamais poderia ser feliz sem ele.

Até mesmo o tempo que passava com Pegasus não diminuía sua dor. Emily estava desesperada para voltar a Nova York e encontrar o pai, mas Júpiter não a deixava ir. Ele insistia que o lugar dela era lá, ao lado dos Olímpicos, e, com a raça de guerreiros invasores dos Nirads ainda representando uma ameaça para o Olimpo, Júpiter não podia mandar nenhum de seus guerreiros para o mundo de Emily em uma missão de resgate. Não importava o quanto ela insistisse com o grande líder, ele ainda se recusava a deixá-la ir.

Emily fez uma pausa enquanto caminhava nos jardim da parte de trás do palácio de Júpiter. Virou o rosto para o sol e sentiu os raios quentes. Será que aquele era o mesmo sol que brilhava em seu mundo? Será que seu pai conseguia vê-lo? Pela sua experiência como prisioneira nas instalações da UCP, ela duvidava muito.

Emily se sentiu ainda mais determinada. Se Júpiter não a deixasse ir, ela não teria escolha a não ser fugir para resgatar o pai. Caminhando ao longo do riacho que corria pelo Olimpo, viu um grupo de belas ninfas aquáticas mergulhando; elas acenaram e emitiram seus estranhos cumprimentos. Momentos depois, mergulharam para baixo da superfície e a água ficou calma, como se elas nunca tivessem estado ali.

Totalmente perdida em seus pensamentos, Emily não estava prestando atenção no caminho e, então, tropeçou em uma pequena pedra. Ela praguejou e se levantou. Além de tudo, Emily ainda não tinha se acostumado com o suporte dourado para sua perna que Vulcano, o armeiro do Olimpo, tinha feito para ela. Ele o construiu usando o mesmo ouro das rédeas de Pegasus, um material muito especial que era letal para os Nirads. Apenas um leve toque era o suficiente para envenená-los, e um contato prolongado tinha se mostrado fatal para aqueles guerreiros tão ferozes. Com aquele suporte ela podia não somente se defender dos invasores, como também andar e correr outra vez.

Mas aprender a andar usando aquele aparelho estranho na perna demandou tempo e esforço. Agora ela podia se mexer quase tão bem quanto antes de sua perna ser danificada permanentemente pelos Nirads em Nova York.

Emily caminhou em direção ao labirinto de Júpiter, um quebra-cabeça complicado, construído no meio do jardim, e que consistia em grandes arbustos verdes plantados em padrões difíceis. Foi preciso muita prática para aprender a andar por lá, e, com os amigos, descobriu que o labirinto era o lugar ideal para se ter conversas privadas.

Emily achou o caminho para o confuso centro do labirinto. Lá, esperando por ela ao lado do pedestal central, estava Pegasus. O magnífico garanhão alado sempre a deixava sem fôlego. Parado em silêncio na sombra das árvores, ele emanava seu brilho branco, com a cabeça levantada e orgulhosa e os pelos escovados e cintilantes. Não havia nenhuma pena fora do lugar em suas asas perfeitamente fechadas.

Quando Pegasus a viu, relinchou animadamente e sacudiu a cabeça para ela.

Ao lado dele estava o melhor amigo de Emily de Nova York, Joel, que era alto e forte. Suas feições morenas de ascendência romana, cabelos negros e olhos castanhos calorosos sempre a faziam se lembrar dos quadros clássicos italianos que tinha visto em museus de arte. Ele não era mais o garoto bravo e violento que ela tinha conhecido em frente à casa dele, perto da escola. O tempo que estava passando no Olimpo suavizara seu semblante de raiva e dor pela perda da família. Joel tinha um coração grande e carinhoso e agora sempre sorria. Passava os dias trabalhando com Vulcano no arsenal do Olimpo e tinha até ajudado a desenhar o suporte para a perna de Emily.

Emily olhou em volta enquanto se aproximava.

– Cadê o Paelen?

– Vai chegar em alguns minutos. Ele precisava pegar alguma coisa – Joel segurou o cotovelo dela. – Tem certeza de que quer fazer isso, Em?

– Por acaso tenho outra escolha? – ela respondeu. – Não penso em mais nada além de salvar meu pai, Joel, e não tem mais nada que eu possa fazer. Não precisaríamos escapar assim se Júpiter nos ajudasse.

Ela jogou as mãos para o alto, frustrada. Quando as baixou, chamas brilhantes saíram das pontas de seus dedos e acertaram a ponta do seu pé bom, queimando o chão ao lado dele. Emily gritou, pulando de dor.

– Fique calma, Emily! – Joel alertou. – Você sabe que a coisa fica pior quando está chateada.

– Isso é loucura! – ela choramingou. – Ser o Fogo do Olimpo é uma coisa, mas ficar me queimando o tempo todo é outra, bem diferente!

– Você precisa se acalmar – Joel insistiu. – Lembre-se do que Vesta ensinou. Você pode controlar a Chama se permanecer calma.

– É mais fácil falar do que fazer – Emily reclamou enquanto sentava e esfregava o pé atingido.

Sua sandália estava preta e queimada. Desde que voltara do Templo do Fogo, Emily descobria poderes que não conseguia controlar e que a faziam queimar coisas o tempo todo.

Joel sentou ao lado dela.

– Vamos tirar seu pai de lá, eu prometo. Mas não poderá ajudá-lo se não controlar sua chama.

– O Joel tem razão – disse Paelen, surgindo das árvores atrás deles.

Em contraste com Joel, ele era bem menor e mais magro. Paelen tinha a habilidade de passar pelos espaços mais apertados e também o conhecido hábito de se meter em confusão.

Mas com seu sorriso maroto e olhos escuros e brilhantes, sempre arranjava um jeito de fazer Emily sorrir.

– E, se fosse vocês, começaria a falar mais baixo. Metade do labirinto pode ouvi-los. – Ele sentou ao lado de Emily e a empurrou de brincadeira. – Posso ver que botou fogo em si mesma de novo.

– Não, eu tropecei – Emily respondeu o empurrando de volta.

Paelen deu o seu sorriso maroto.

– É claro que sim, por isso sua sandália virou carvão e está soltando fumaça.

No tempo em que estavam no Olimpo, Emily tinha realmente passado a gostar muito de Paelen, e, além de Joel, ela não podia pedir amigos melhores. Paelen era um dos poucos Olímpicos que entendiam o que eles tinham passado como prisioneiros da UCP na Ilha do Governador. Todos tinham sido torturados para que dessem informações sobre o Olimpo.

– Falando em sandálias – Emily mudou de assunto –, você não roubou as do Mercúrio de novo, né? – Ela tinha percebido as sandálias aladas nos pés dele.

– Eu? É claro que não – respondeu ele com um horror simulado. – Sabe que não sou mais um ladrão. O Mercúrio as deu para mim porque tem outro par sendo feito para ele. – Paelen fez uma pausa e depois franziu a testa. – Ele disse que as sandálias preferem ficar comigo. Não entendi bem o que ele quis dizer, mas não vou dizer não para um presente tão útil. – Ele fez um carinho nelas. – Estas sandálias voadoras salvaram nossa vida no seu mundo e nos ajudaram a escapar da UCP. É impossível saber o que mais podem fazer. – Depois se inclinou para

Emily e esfregou as mãos, ansioso. – Então, me diga: quando partiremos para Nova York?

Pegasus deu um passo à frente e começou a relinchar baixinho.

Paelen assentiu e traduziu para os outros.

– Pegasus ouviu Júpiter, Marte e Hércules conversando. Eles vão partir em uma expedição para ver se descobrem como os Nirads entraram no Olimpo em um número tão grande e sem serem vistos. Até saberem isso e fecharem o caminho, continuaremos em perigo. Pegasus sugeriu que se vamos para Nova York resgatar seu pai, devemos partir logo depois deles.

Emily se levantou e beijou o focinho macio do garanhão.

– Obrigada, Pegasus. É uma ótima ideia. – Então se virou para Joel e Paelen. – Está decidido: no momento em que Júpiter partir, nós vamos também!

Falando baixo, discutiram os planos enquanto caminhavam pelo labirinto. Emily repousava a mão no pescoço de Pegasus, que caminhava ao lado dela.

– Vamos precisar de roupas humanas – Joel refletiu em voz alta. – Não podemos chegar em Nova York vestidos assim.

– Qual é o problema com estas roupas? – Paelen olhou para sua túnica. – Sempre me vesti assim.

– Está brincando, né? – Joel sorriu. – Paelen, nós parecemos sobras de um filme de gladiadores! Olhe para mim, estou usando um vestido!

– É uma túnica – Emily o corrigiu –, e acho que fica muito bem em você.

Ela olhou para baixo, para sua própria túnica feita de seda branca bordada e completada com um cinto de ouro trançado na cintura. A vestimenta terminava no meio das coxas e logo acima do aparelho dourado que dava suporte à sua perna esquerda danificada, que ficava à mostra. Emily nunca se envergonhou de mostrar as cicatrizes feias e profundas infligidas pelos Nirads ainda em Nova York. Os Olímpicos olhavam para elas como uma medalha de honra ao mérito. Ela as tinha ganhado a serviço do Olimpo e eles a tinham ensinado a se orgulhar disso. Mas ao olhar para a perna agora, percebeu que as cicatrizes e o aparelho de suporte não seriam vistos de forma positiva em seu mundo.

– Joel tem razão – ela concordou. – Também não posso voltar para lá deste jeito. Temos que esconder este suporte de ouro tão valioso.

Pegasus começou a relinchar e Paelen traduziu.

– Se alguém tentar roubar de você, Pegasus a defenderá, e o mesmo vale para Joel e eu. – Um brilho brincalhão voltou aos olhos dele. – É claro que, se tudo isso falhar, você pode colocar fogo em si mesma outra vez. Isso assustaria os ladrões com certeza!

– Valeu, Paelen! – Emily disse em tom sarcástico enquanto o empurrava de leve. Depois deu um tapinha no pescoço de Pegasus. – E obrigada, Pegs. Mas ainda acho que é melhor encontrarmos roupas normais.

– Roupas normais para quê?

Emily levantou a cabeça para olhar para o autor da voz. Apesar de todo o tempo que já estavam no Olimpo, ela ainda não conseguia achar comum a visão de Cupido. Ver as asas de

Pegasus tinha sido estranho no começo, mas elas pareciam combinar com ele de alguma forma e ela não conseguia imaginá-lo sem, mas olhar para aquele adolescente com asas coloridas nas costas, parecidas com as de um faisão, era algo bem diferente.

Cupido fechou as asas e pousou suavemente no labirinto, bem diante deles.

– Então, aonde é que vão para precisarem de roupas normais? – ele perguntou.

– Não interessa – Joel respondeu. – Sua mãe não ensinou modos a você? Não é educado ficar ouvindo a conversa dos outros.

– É claro que sim – Cupido falou –, mas ela também me ensinou que sempre que os humanos e os Olímpicos se misturam os problemas aparecem. E o que vejo diante dos meus olhos? *Humanos* se misturando com Olímpicos.

Cupido sorriu radiante para Emily e isso fez o coração dela vibrar. Ela tinha uma queda por ele, que sabia disso. Ele era forte e magro; o Olímpico mais bonito que ela já tinha visto, com seus traços finos, cabelos loiros quase cor de areia e olhos azuis esculpidos como safiras, brilhantes e provocantes. Sua pele parecia mármore polido, sem nenhuma daquelas marcas de acne ou de nascença que acometiam a maioria dos adolescentes. Apesar de Cupido ser muito velho, não parecia ter mais do que 16 ou 17 anos.

Emily olhou para Joel de relance e viu que seu temperamento explosivo estava perto de aparecer. A maneira como Cupido pronunciava a palavra "humano" soava sempre como um insulto.

– Sai daqui, Cupido – Joel avisou. – Esta é uma conversa particular e você não é bem-vindo.

– Isso é verdade? – Cupido perguntou maliciosamente para Emily. – Você quer mesmo que eu vá embora?

A intensidade do olhar dele não deixou as palavras se formarem nos lábios dela. Tudo nele era um problema. Joel tinha contado a ela alguns mitos relacionados a Cupido, e Emily sabia que, como um covarde, ele tinha fugido dali quando os Nirads atacaram, tendo permanecido longe até o perigo passar. Mas, mesmo assim, apesar de tudo, ela não conseguia dizer para ele ir embora.

Antes que as coisas se complicassem, Pegasus deu um passo à frente e relinchou alto.

– Problemas? – perguntou Cupido se virando com um olhar inocente para o garanhão. – Não estou causando problemas. Só queria conversar com a Chama.

– O nome dela é Emily – Paelen disse de forma defensiva e se moveu para ficar entre ela e Cupido. – Não se dirija a ela como Chama.

– E eu disse para você ir embora – Joel acrescentou se posicionando ao lado de Paelen e cruzando os braços sob o peito.

– E se eu não for? – Cupido desafiou. – O que fará contra mim, *humano*?

Mais uma vez Pegasus relinchou e bateu no chão com o casco de ouro. Não havia como confundir aquele aviso, e Emily viu o medo surgir nos olhos de Cupido. Até Paelen deu um passo para o lado, se afastando do garanhão.

– Não precisa ficar nervoso, Pegasus – Cupido disse, levantando as mãos e se rendendo. – Já estou indo.

Suas asas se abriram quando se preparou para sair voando, mas antes de se virar, pegou uma pena colorida de sua asa direita e a colocou nos cabelos de Emily.

– Um mimo para colocar embaixo do travesseiro e se lembrar de mim – ele provocou enquanto pulava no ar e batia as longas asas. – Vejo você mais tarde, Chama!

Pegasus empinou, abriu as asas enormes e guinchou em direção a ele.

Enquanto Cupido ia embora, ele se virou e acenou para ela, rindo enquanto partia.

– Estava quase batendo nele! – Joel falou fechando as mãos.

– Eu também – Paelen concordou.

Voltando para o lado de Emily, Pegasus cutucou-a gentilmente e relinchou baixinho.

– Você deve ficar longe de Cupido – Paelen explicou. – Pegasus disse que ele é encrenca, mais do que... quem? – Paelen se virou sério para o garanhão. – Eu? Pegasus, como pode me comparar a Cupido? Não somos nada parecidos! Posso ter sido um ladrão, mas Cupido é um covarde causador de problemas, e não gosto de ser comparado a ele. E você, hein? – Paelen se virou para Emily, tirou a pena dos cabelos dela e a jogou no chão. – Devia ter dito para ele ir embora. Cupido a entregaria facilmente para os Nirads para salvar a própria pele e as penas. Fique longe dele!

Emily observou confusa enquanto Paelen saiu rapidamente do labirinto e desapareceu. Ele nunca tinha levantado a voz para ela antes, e muito menos demonstrado sinais de raiva.

– O que foi que eu fiz?

Joel olhou surpreso para ela.

– Não sabe mesmo?

Emily balançou a cabeça negativamente.

– Deixe pra lá – ele continuou –, temos coisas mais importantes para nos preocuparmos. Você precisa aprender a controlar seus poderes antes de partirmos. Continue com suas sessões de treinamento com Vesta e tente aprender o máximo que puder.

Enquanto Joel ia embora, Emily se virou para Pegasus e sacudiu a cabeça.

– Quer saber de uma coisa, Pegs? Quanto mais velha fico, mais confusa fico também. Pode me dizer o que acabou de acontecer aqui, por favor?

Pegasus a empurrou gentilmente e a levou de volta ao palácio de Júpiter para se encontrar com Vesta.

Emily passou a tarde toda no Templo do Fogo se esforçando para aprender a controlar seus poderes.

Vesta explicou pacientemente como soltar o fogo e controlá-lo, mas todas as vezes que Emily usava seus poderes, eles ficavam fora de controle e as chamas saíam de suas mãos para todos os lados do Templo.

– Não consigo! – Emily reclamou, se sentindo derrotada.

– Você precisa se concentrar, criança – Vesta a repreendeu. – Posso ver que sua mente não está aqui. Se não tomar cuidado, perderá completamente o controle dos seus poderes e se machucará, como aconteceu hoje cedo.

Os olhos de Emily se viraram imediatamente para a entrada do Templo, que era onde Pegasus estava parado, e ele baixou a cabeça admitindo a culpa. O garanhão devia ter contado para Vesta como ela havia queimado o próprio pé.

– Valeu, Pegs – ela murmurou.

– Não culpe Pegasus por me dizer o que aconteceu – Vesta falou. – Ele se preocupa com você e não quer vê-la ferida. – Ela pousou as mãos nos ombros de Emily. – Você precisa entender que é a encarnação do Fogo do Olimpo. Seus poderes alimentam a chama neste Templo e nos mantêm vivos. Incontáveis gerações atrás, levei o coração do Fogo ao seu mundo e o escondi em uma criança. Ele passou de uma garota para outra durante gerações, até finalmente chegar a você, que nasceu com esses poderes. Sinto muito termos tido que invocá-los de dentro de você para salvar o Olimpo, mas no momento em que se sacrificou neste Templo, você mudou. Emily, você carrega o poder do sol em seu ser, e se não o dominar logo, pode pôr em risco a sua vida e a de todos que a cercam.

Emily olhou para baixo, para a sandália queimada. Ela já sabia o quanto seus poderes eram perigosos e já tinha queimado acidentalmente um monte de coisas em seus aposentos. Estava chegando ao ponto de ela não ter mais lugar para esconder todas as coisas que eram vítimas de seus poderes.

– Desculpe – ela falou finalmente. – Vou me esforçar mais.

Virando-se para o pedestal, Emily olhou para as chamas brilhantes. Eram alimentadas por ela e eram a única coisa no Olimpo que seus poderes não podiam danificar.

– Muito bem – Vesta disse pacientemente. – Olhe para as chamas. Quero que focalize o que pretende fazer. Visualize a ação. Então se concentre e solte com cuidado o poder dentro de você.

Emily levantou as mãos e se concentrou. Ela imaginou que era um maçarico enorme e que estava ligando o gás. Depois começou a sentir um formigamento na barriga, que subiu por sua coluna e invadiu seus braços levantados, chegando até as mãos.

– Vamos lá, Em – ela disse para si mesma. – Você consegue.

De repente um jato largo e selvagem de fogo saiu das pontas de seus dedos.

– Muito bom. Agora se concentre – Vesta a instruiu. – Controle o fluxo, Emily; faça ficar mais fino.

Emily prendeu a respiração enquanto as chamas nervosas saíam de suas mãos. Concentrando-se como Vesta havia ensinado, ela dominou o poder e refinou o fluxo até que se tornassem apenas dois raios de luz vermelha. Mas quanto menor ela deixava o raio, mais intenso ele ficava.

O raio de luz atravessou as chamas do pedestal e o resto do Templo até acertar a parede dos fundos, fazendo um buraco no mármore branco e grosso e continuando para o céu do Olimpo.

– Pare agora, Emily! – Vesta alertou. – Pense apenas na palavra *pare*!

Em sua cabeça, Emily imaginou o gás do maçarico sendo fechado, mas nada aconteceu. Mentalmente ela apertou todos os botões e desligou todos os interruptores que controlavam seus poderes, mas, mais uma vez, o raio não desapareceu.

– Pare o raio, Emily! – Vesta gritou. – Você tem que fazê-lo obedecer você!

Emily tentou e tentou de novo, mas nada aconteceu. Quanto mais seu pânico aumentava, mais forte ficava o raio de fogo, que parecia um laser. Ele pulsava enquanto rasgava os céus sobre o Olimpo.

– NÃO CONSIGO DETER O RAIO!

Uma pancada repentina por trás a fez cambalear para a frente e cair no chão. Com a concentração quebrada, o raio vermelho desapareceu. Ela começou a ofegar bastante e olhou para as mãos. Não havia queimaduras, marcas ou dor. Então levantou a cabeça e o que viu a fez perder o fôlego: o rosto e o pescoço de Pegasus estavam vermelhos porque tinham sido queimados, e o pior era que seu focinho branco e macio estava preto e cheio de bolhas. Tinha sido Pegasus quem a empurrou e acabou com as chamas, mas, ao tocá-la, os poderes dela queimaram sua pele.

– Pegasus! – Emily correu até ele. – Eu sinto muito. Juro que não queria fazer isso!

Ela se sentiu mal ao inspecionar os ferimentos dele, pois seus poderes tinham feito aquilo.

– Me perdoe, por favor!

Sem pensar, Emily esticou a mão e acariciou gentilmente o rosto queimado dele e, quando o tocou, a pele enegrecida e cheia de bolhas começou a se regenerar. Logo Pegasus estava completamente recuperado.

– Não consigo fazer isso, Pegs – Emily choramingou enquanto se afastava dele. – Simplesmente não posso. Eu machuquei você. E se você tivesse morrido? Sou perigosa demais para ficar perto de alguém.

Emily estava se odiando quando saiu correndo do Templo. Lágrimas surgiam em seus olhos enquanto descia os altos degraus. Ela estremeceu ao relembrar o que tinha acontecido e - pior - o que *poderia* ter acontecido.

Quando estava na base da escadaria, olhou para cima e viu Pegasus e Vesta saindo do Templo.

– Emily, pare! – Vesta ordenou.

Emily se virou e saiu correndo, pois não conseguiria encarar Pegasus de novo sabendo que quase o tinha matado. Ela passou por outros Olímpicos na rua e ignorou seus olhares curiosos e suas perguntas preocupadas. Ela precisava fugir de Pegasus e de qualquer um que pudesse ser ferido por seus poderes. Ela era perigosa demais para ficar no meio das pessoas.

Emily finalmente correu para um anfiteatro a céu aberto. As Musas não estavam se apresentando hoje, por isso todos os milhares de lugares estavam vazios. Era o lugar perfeito para alguém tão perigosa quanto ela. Emily correu descendo os degraus em direção ao palco central e se jogou no chão. Era o fim. Sua vida tinha terminado. Não haveria viagem de volta a Nova York e nem o resgate do pai.

Tudo o que havia agora era dor.

Soluços de choro surgiram quando ela finalmente percebeu todas as coisas que tinha perdido, e desejou nunca ter emergido do fogo no Templo. O Olimpo e Pegasus teriam ficado melhores sem ela.

Lágrimas cegavam Emily enquanto ela tentava olhar em volta para o belo teatro de mármore que a cercava; então, e ela as limpou furiosamente. Ao sacudir as lágrimas dos dedos, houve um flash cegante e depois uma terrível explosão.

O mundo dela escureceu.

2

Emily acordou em sua cama. Por um instante, temeu ter voltado para a instalação da UCP na Ilha do Governador, mas à medida que seus olhos vagarosamente entravam em foco, viu que estava em seu belo quarto no palácio de Júpiter. Todas as janelas estavam abertas e as cortinas finas balançavam suavemente com a brisa doce e quente que entrava.

– Seja bem-vinda de volta.

Diana, a Grande Caçadora, estava em pé ao lado de sua cama. As duas tinham estabelecido uma forte ligação depois do que passaram juntas em Nova York. Diana era filha de Júpiter e Emily queria ser igual a ela quando crescesse. Diana era forte, corajosa e carinhosa. Tinha ido até Nova York e arriscado a própria vida para salvar Pegasus. E quando entraram em um estábulo para pegar uma carruagem a fim de esconder o garanhão, Diana demonstrou uma enorme compaixão pelos cavalos que ali sofriam.

Aquela mulher tão alta se sentou perto da cabeceira da cama e acariciou a testa de Emily.

– Foi um grande susto para todos nós.

Emily franziu a testa e tentou se lembrar do que tinha acontecido. Ela estava toda dura, dolorida e com uma dor de cabeça latejante. Sabia que tinha acontecido algo intenso, mas não se lembrava do quê - até recordar os acontecimentos no Templo.

– Machuquei o Pegasus – ela sussurrou, sentindo-se triste. – Eu o queimei.

– Pegasus está bem – Diana assegurou. – É com você que estamos preocupados.

Emily levantou a cabeça, olhou em volta e viu que estavam sozinhas. Nada de Joel, Paelen ou mesmo Pegasus. Seus amigos estavam longe porque ela era perigosa, seus poderes eram incontroláveis e agora ela precisava ficar presa.

– O que vai acontecer agora? – ela perguntou baixinho, sem conseguir encarar Diana. – Onde é que vocês vão me prender?

Diana fez uma careta.

– Prender? E por que faríamos isso, criança?

As emoções de Emily começaram a dominá-la.

– Porque sou perigosa e machuquei o Pegasus.

– Ah, Emily! – Diana a puxou e a abraçou apertado. – Ninguém vai prender você. Seus poderes ficaram fora de controle, nada mais. Isso já aconteceu com todos nós. Apenas não esperávamos que suas lágrimas fossem tão poderosas.

– Minhas lágrimas? – Emily fungou. – Como assim?

Diana explicou que o zelador do anfiteatro a viu correndo até o palco; depois ele contou como Emily tinha limpado as lágrimas e as sacudido de sua mão provocando uma explosão que revirou o Olimpo. Ele estava longe o suficiente para apenas se ferir e não ser morto, mas a explosão destruiu o teatro e abriu uma enorme cratera. Mais tarde, Pegasus finalmente a encontrou em cima de uma árvore bem alta a vários quilômetros de lá.

– Não estou entendendo nada – Emily falou. – Minhas lágrimas causaram uma explosão?

Diana concordou com a cabeça.

– Nós também não entendemos. Quando o Fogo emergiu de você, Vesta disse que todo o poder dele seria liberado, mas nem ela esperava que fosse tão potente assim. Até mesmo suas lágrimas contêm o poder do sol.

Ela não podia nem chorar sem machucar a si mesma e quem mais estivesse a sua volta! A cada dia que passava as coisas pioravam. Ela não era mais uma pessoa, uma menina com um futuro brilhante à frente. Tinha se tornado uma bomba nuclear prestes a explodir.

– Não quero – ela finalmente falou em um sussurro. – Não quero nenhum desses poderes, não pedi para tê-los. Só quero minha antiga vida de volta, com meu pai.

– Sinto muito, mas você não tem escolha – Diana respondeu. – Você nasceu com a Chama, é uma parte do seu ser, e prometo que vai conseguir aprender a controlá-la. Não lute contra os seus poderes, Emily; abrace-os e os aceite como aliados, não como inimigos.

– E se eu não conseguir aprender? – Emily perguntou.

– Você precisa aprender – Diana falou ficando em pé e indo até a porta. – Descanse. Logo estará se sentindo melhor.

Emily duvidava que fosse se sentir bem outra vez. Então se levantou da cama, foi até uma das janelas, sentou no parapeito e ficou assistindo ao que se passava lá embaixo, exatamente como costumava fazer em seu apartamento em Nova York.

Mas não era para Manhattan, com seu tráfego pesado, sirenes da polícia, multidões e lojas, que ela estava olhando. Era o Olimpo. A brisa leve que batia em seus cabelos era doce, morna e nem um pouco poluída como o ar pesado de Nova York. Ela via Olímpicos alados e grandes pássaros planando juntos pelo céu azul e limpo. Borboletas do tamanho de carros flutuavam por ali e brincavam com algumas crianças. Lá na praça, centauros e gigantes caminhavam e conversavam casualmente como as pessoas fariam no mundo dela. Para todos os lados que olhava, Emily via coisas incríveis. O problema é que observar o mundo abaixo apenas aumentou a sensação de que as coisas jamais seriam normais de novo.

– Onde está você, pai? – ela perguntou, sentindo-se triste. Emily não sofria mais pela morte da mãe. De algum jeito, naquele mundo estranho e maravilhoso, ela sempre sentia a presença da mãe, como se só precisasse esticar a mão e encostar nela se quisesse. Agora era o pai que a preocupava o dia todo, e o resgate dele parecia impossível naquele momento. Como ela poderia ajudá-lo se não conseguia nem ajudar a si mesma? Ela era um monstro perigoso que não podia nem chorar, por medo de ferir ou matar alguém.

Perdida em seus pensamentos, Emily não percebeu o tempo passar até ouvir uma batida gentil na porta.

– Emily? – chamou uma voz grossa. – Podemos entrar?

Emily pegou o robe e depois respondeu que sim.

Ela ficou surpresa ao ver Júpiter entrando em seu quarto. Apesar de morar em seu enorme palácio com Joel e Paelen, ela só o via nas refeições, e eram banquetes tão grandes e barulhentos que nunca tinha conseguido falar com ele. Além disso, Júpiter nunca tinha estado em seu quarto, e a única vez que falou com ele foi quando implorou para que a deixasse retornar a Nova York para resgatar o pai. E o pedido tinha sido negado.

– Júpiter – Emily curvou a cabeça em respeito ao líder supremo deles.

– Emily, fiquei muito perturbado ao saber o que aconteceu no teatro ontem. Parece que suas lágrimas são muito poderosas. Espero que esteja bem.

– Estou bem, obrigada.

Atrás dele entrou outro homem com a mesma presença de comando do líder do Olimpo. Ele também era alto, forte e tinha barba e cabelos brancos longos, mas em vez do semblante sério e sombrio de Júpiter, o dele era caloroso e sorridente, cheio de alegria e descontração. A diferença entre os dois podia ser vista em seus olhos: os de Júpiter eram negros, profundos e pareciam conter o conhecimento de eras; os olhos do outro homem eram tão pálidos que pareciam pérolas. Na verdade, para Emily, ele parecia menos com um Olímpico e mais com o Papai Noel.

– Acredito que ainda não conheceu meu irmão – Júpiter falou. – Este é Netuno. – Ele se virou para o irmão. – E esta é o Fogo do Olimpo, apesar de recentemente ter descoberto que ela prefere ser chamada de Emily.

– Emily – Netuno falou enquanto um grande sorriso surgia em seu rosto. – Meu filho me contou o que aconteceu com você. Como está se sentindo?

Os olhos de Emily se arregalaram quando se lembrou de que Netuno era o pai de Pegasus.

– Estou bem, obrigada – ela gaguejou e depois olhou para baixo, para as pernas fortes e musculosas que emergiam por baixo da túnica.

– Estava esperando um rabo de peixe? – Netuno perguntou já sorrindo.

Emily ficou vermelha e concordou com a cabeça.

– Desculpe, senhor. Não quis ser rude e ficar encarando, mas sempre ouvi falar que morava no oceano.

O rosto dele se enrugou com as gargalhadas, que pareceram ressoar por todo o palácio.

– Tenho certeza de que imaginava que eu andava em uma carruagem de conchas puxada por cavalos-marinhos, carregando um tridente na mão enquanto remexia as águas do oceano furiosamente.

O rosto de Emily ficou roxo e ela concordou outra vez.

Dessa vez foi Júpiter quem riu.

– Não o deixe enganar você, Emily. Ele faz mesmo essas coisas e muito mais.

– Mas não quando estou em terra – Netuno concluiu, voltando a ficar sério. Depois de entrar no quarto, ele se virou para a porta. – Entre, filho.

Emily ouviu o som familiar dos cascos vindo do corredor e, momentos depois, Pegasus entrou.

Ele estava tão branco e resplendoroso como sempre, sem uma pena fora do lugar em suas asas perfeitamente dobradas. Não havia nenhuma evidência das queimaduras que ela tinha lhe causado. Emily ficou agradecida ao ver que não houve nenhum traço de hesitação quando ele foi até ela.

– Pegasus – ela disse carinhosamente enquanto acariciava o focinho dele. – Você está bem?

– Sim, ele está bem – Netuno respondeu –, mas está muito preocupado com você. Depois do incidente no anfiteatro, ele perguntou se eu poderia ajudá-la. Então fui até minhas sereias mais talentosas e pedi que tecessem suas melhores sedas com as gramíneas que crescem na parte mais profunda do oceano. Espero que isso a ajude.

Emily viu Netuno pegar um lenço cintilante verde-mar de dentro de sua túnica. Ele parecia mudar de cor quando tocado pela luz e lembrou a ela escamas iridescentes de peixes. Ele entregou o lenço a Emily, que viu, bordada no centro daquele tecido fino enquanto o girava com as mãos, uma imagem dela montada em Pegasus.

– Pegasus deu fios de sua cauda às sereias para que o bordado fosse feito – Netuno explicou. – Esse é o melhor trabalho que já fizeram.

– Espero que funcione bem para as lágrimas da nossa Chama – Júpiter acrescentou e depois se aproximou de Emily. – Isto foi feito com todos os poderes das sereias e do mar. Mantenha-o sempre com você, por favor. Acreditamos que será forte o bastante para coletar e guardar suas lágrimas sem causar mais danos ao Olimpo ou a você.

Emily olhou para o belo lenço que tinha Pegasus bordado. Era a coisa mais bonita que ela já tinha visto na vida.

– Tudo o que precisamos fazer agora é testar – Netuno falou.

– Testar? – Emily perguntou com medo. – Não tenho certeza se devemos fazer isso.

– Não hoje, criança – Júpiter assegurou a ela enquanto a abraçava. – Só quando você estiver melhor. Enquanto isso, quero que descanse, pois a surpresa que teve ontem foi muito desagradável. Quando estiver recuperada, peça a Pegasus que a leve até a nova arena que estamos construindo para você. Será um lugar muito mais apropriado para treinar seus poderes. Agora que vimos a extensão deles, temos de garantir que todos estejam seguros até que você consiga controlá-los melhor.

Emily olhou para Júpiter e assentiu. Depois agradeceu Netuno mais uma vez pelo belo presente e ficou ao lado de Pegasus enquanto eles saíam do quarto. Quando se foram, Emily envolveu os braços no pescoço do garanhão.

– Sinto muito ter machucado você – ela falou. – Perdi o controle e não consegui interromper o raio.

Pegasus relinchou baixinho e também encostou nela.

– O que farei agora, Pegasus? Outro erro desses e posso acabar matando alguém. Posso causar mais danos ao Olimpo do que os Nirads.

Pegasus a empurrou carinhosamente para mostrar que entendia. Então a convidou para olhar nos olhos dele. Quando fez isso, uma visão bem clara surgiu em sua mente. Ela estava montada em Pegasus, voando para longe do palácio, e seus medos e preocupações desapareciam naquele momento glorioso.

– Podemos mesmo? – ela perguntou esperançosa.

De todas as coisas maravilhosas para se fazer ou ver no Olimpo, a preferida de Emily era voar com Pegasus e descobrir lugares onde nunca tinha estado antes.

Emily se trocou rapidamente, amarrou o lenço novo em seu cinto trançado e subiu nas costas de Pegasus. Depois de se ajeitar confortavelmente atrás de suas grandes asas, o garanhão foi até uma das janelas enormes e pulou confiante por ela.

Emily segurou firme a crina dele enquanto voavam pelo céu sobre o Olimpo. Cavalgar Pegasus era melhor do que todas as montanhas-russas que ela já tinha ido na vida! Emily se sentia segura com ele, mas ao mesmo tempo havia aquela adrenalina de voar bem alto sem cinto de segurança. Eram apenas ela e as costas nuas de Pegasus.

No chão, pessoas e criaturas acenavam para o Fogo do Olimpo e, no céu, outras criaturas aladas voavam em formação ao lado deles.

Depois de certa distância, seus acompanhantes se dispersaram e Emily e Pegasus voaram sozinhos novamente. Logo seus problemas foram colocados de lado e ela saboreou a liberdade que sempre sentia quando voava naquele magnífico garanhão alado. Enquanto deslizavam suavemente pelos ventos quentes sobre a região montanhosa do Olimpo, Emily podia sentir as asas de Pegasus batendo com muita confiança.

Logo ele começou a descer ao lado de uma montanha e Emily viu que era o lugar onde tinham ido no primeiro dia, logo depois que ela emergiu do Templo. Era uma praia privada e isolada com areias prateadas cintilantes ao lado de um belíssimo lago.

Depois de descer, Pegasus se moveu suavemente pela costa com seus cascos trotando pela água. Pássaros cantavam nas árvores da praia e o ar era rico e dominado pelo cheiro da floresta muito verde. Passar um tempo com o garanhão sempre a fazia se sentir melhor e clareava-lhe a mente.

Emily não tinha certeza de quanto tempo tinham ficado lá, até que a paz e a tranquilidade foram quebradas por gritos altos e urgentes de Paelen e Joel. Ela olhou para cima e viu Joel nas costas de Paelen enquanto as sandálias aladas de Mercúrio se esforçavam para carregar o peso dos dois.

– Você está bem, Emily? – Joel perguntou ao descer das costas de Paelen. – A Diana não deixou a gente ver você, pois disse que precisava descansar depois de criar aquela explosão nuclear e destruir o teatro.

– Estou bem melhor – Emily respondeu agradecida por ver os amigos. Depois esticou a mão e deu um tapinha carinhoso no pescoço de Pegasus. – Nós dois estamos.

– Ótimo – Paelen falou –, pois temos um grande problema. Os Nirads voltaram ao Olimpo.

– O quê? – A sensação de paz que Emily sentia desapareceu com uma palavra: Nirads. Os guerreiros selvagens de quatro braços que quase mataram ela e Pegasus em Nova York e que tinham ferido sua perna esquerda.

– Onde estão eles? – ela perguntou. – É outra invasão?

– Acho que não – Joel respondeu. – Ouvimos dizer que não são muitos.

– *Um* Nirad já é muito – Paelen acrescentou.

Emily olhou para Pegasus e depois para os dois amigos. Eles pensavam que a guerra com aqueles inimigos tinha acabado. Depois que o Fogo foi aceso novamente e os poderes dos Olímpicos foram restaurados, a enorme raça guerreira tinha fugido de lá e ninguém imaginava que retornariam.

– O que fazemos então? Vamos nos preparar para lutar? – Emily perguntou.

Paelen sacudiu a cabeça.

– Não. Júpiter já está reunindo seu exército e ele, Netuno e Hércules foram até o local em que os Nirads foram avistados para descobrir quantos são e como estão chegando aqui. Enquanto isso, Marte e Vulcano estão armando todo mundo com o mesmo ouro do seu aparelho da perna e das rédeas de Pegasus – Paelen mostrou uma adaga dourada e apontou para outra no cinto de Joel. – Apolo e Diana estão organizando os guerreiros que sobraram e ordenaram que encontrássemos você e a levássemos de volta ao palácio. Não querem que a gente lute. Devemos ficar lá com você até que tudo esteja resolvido.

Emily sentiu o medo contrair sua garganta. Os Nirads tinham voltado. Ela sabia que desta vez, sendo a encarnação do Fogo do Olimpo, seria o alvo deles. Se por acaso fosse morta ou mesmo ferida gravemente, o Fogo do Templo poderia ser extinto e então não haveria mais esperança para ninguém. Ela não podia deixar aquilo acontecer.

– Não vamos voltar para o palácio – ela falou decidida. – É perigoso demais e os Nirads são muito grandes e fortes. Seríamos alvos fáceis! Acho que devemos ir para Nova York, afinal, já era nosso plano original. Quando resgatarmos meu pai, tenho certeza de que ele poderá nos ajudar. – Emily olhou para o garanhão. – O que acha que devemos fazer, Pegs?

Pegasus raspou a areia com a pata, relinchou alto e concordou com a cabeça.

Emily deu um tapinha na cabeça dele.

– Então está decidido. Vamos para Nova York agora mesmo.

3

Enquanto se preparavam para partir, os medos e as dúvidas de Emily voltaram. Ela não queria ficar no palácio e esperar pelos Nirads, mas bem lá no fundo sentia que estava abandonando os Olímpicos em um momento de necessidade.

Joel se ajeitou atrás dela nas costas de Pegasus. Emily olhou para Paelen.

– Está pronto?

Ele assentiu.

– Então vamos embora.

Pegasus começou a trotar pelas areias prateadas, passando para um galope e então saltando para o céu. Joel e Emily sentiram os músculos fortes das costas e dos ombros se flexionarem enquanto o garanhão abria as asas enormes. À medida que subiam cada vez mais alto, Joel abraçava Emily pela cintura com força e ela segurava com vontade a crina grossa do garanhão.

– Estamos prontos, Pegs! – Emily falou.

Da última que tinham voado assim, eles estavam fugindo dos Nirads na Ilha do Governador. Desta vez fugiam do Olimpo pela mesma razão.

Pegasus começou a ir cada vez mais rápido enquanto eles voavam para o alto. Emily olhou para trás e viu Paelen voando confiante perto deles com as sandálias de Mercúrio. Momentos antes de entrarem em uma grossa nuvem branca, ela teve a impressão de que mais alguma coisa os seguia a distância, mas antes de poder dizer isso a Joel, Pegasus se preparou para entrar na Corrente Solar, o portal que os Olímpicos usavam para viajar de um mundo para outro. Pegasus se moveu a uma velocidade impossível para alcançar o ritmo que abriria a porta para a Corrente Solar. Repentinamente as estrelas ao redor deles ficaram borradas e então desapareceram.

Emily tinha certeza de que tinha visto... algo. Ela continuou olhando para trás, mas naquela Corrente tão poderosa, com sua luz branca cegante e um barulho quase ensurdecedor de energia crepitando, o máximo que conseguiu ver foi Paelen voando exatamente atrás da cauda do garanhão.

– O que foi? – Joel perguntou.

Emily se concentrou nele e precisou gritar para ser ouvida por cima do poder tremendo da Corrente Solar.

– Acho que vi algo nos seguindo.

Joel se virou rapidamente.

– Não estou vendo nada – ele gritou. – Não deve ser nada.

A jornada pela Corrente pareceu bem mais longa do que da última vez; entretanto da última vez ela estava voando em direção à sua morte. Finalmente eles acabaram saindo daquele barulho brilhante. As estrelas ao redor pareceram desacelerar e parar quando eles surgiram em um céu noturno claro e limpo. Emily respirou fundo enquanto seu coração se emocionou ao ver as luzes de Nova York bem à frente deles.

A sensação de alegria e alívio foi uma surpresa para ela. Emily percebeu o quanto sentia falta de seu antigo lar e como estava agradecida por voltar.

– Pensei que nunca mais veria esta cidade – Joel falou, tão surpreso quanto ela.

– Joel, veja! – Emily disse excitada apontando para uma torre que se erguia majestosamente no céu. – Consertaram o Empire State. O raio de Júpiter tinha arrancado o topo dele!

– E está com decorações do Dia das Bruxas – Joel acrescentou enquanto os dois olhavam para as luzes cor de laranja que brilhavam no alto do prédio. O Empire State era algo único e sempre trocava as cores do seu topo para refletir a estação ou alguma data especial. – Nós partimos em maio e agora já é outubro. Ficamos longe por quase seis meses.

O comentário de Joel encheu Emily de apreensão. Parecia que eles tinham ficado pouco tempo no Olimpo, mas as cores do Empire State e o tempo frio estavam ali para provar que era verdade o que ele dizia. O que será que a UCP tinha feito com seu pai nos últimos seis meses?

Não demorou para que se aproximassem da Ilha do Governador. Emily olhou para baixo e se sentiu mal ao lembrar do que havia acontecido ali. Os braços de Joel a apertaram e ela sabia que ele sentia o mesmo.

Pegasus começou a descer e o medo de Emily aumentou.

– Não, Pegs, aqui não. Não podemos voltar à Ilha do Governador, a UCP é aqui!

Seus apelos, porém, foram ignorados. Pegasus ia pousar no extremo da ilha, em um lugar em que Emily não estivera antes. A Unidade Central de Pesquisas tinha suas instalações no subterrâneo, abaixo das belas casas da ilha que ficavam próximas a Manhattan. Não dava para negar o aspecto militar daquela área, com seus vários alojamentos, sendo provavelmente o local no qual ficavam os soldados alocados na ilha.

Eles pousaram em um espaço aberto entre dois alojamentos. O vento frio do outono soprava sobre as águas, fazendo com que Emily começasse a tremer sem parar, pois estava vestida apenas com suas roupas do Olimpo. Fora isso, a Ilha do Governador estava muito silenciosa.

– Pegasus quer que você continue nas costas dele – Paelen sussurrou com a mão levantada. – Ele nos trouxe aqui para vermos se sobrou algum guerreiro Nirad.

– E como vamos descobrir isso? – Joel perguntou alarmado. – Ficaremos aqui e esperaremos que eles ou o pessoal da UCP venham atrás de nós? – Ele se inclinou para falar diretamente com o garanhão. – Por favor, Pegasus, esta é a base deles, não deveríamos estar aqui. Temos de ir embora.

– Fique calmo, Joel – Paelen falou. – Tenho uma ideia. Estas sandálias sempre conseguem encontrar o que peço a elas, então vamos tentar isso. – Ele olhou para suas sandálias aladas e disse: – Procurem por Nirads nesta ilha. Há algum deles ainda aqui?

Emily e Joel observaram, sob a luz do luar, as sandálias obedecerem ao comando e suas pequenas asas começarem a bater. Elas levantaram Paelen no ar, pararam quando ele estava a uns três metros do chão, deram uma volta completa e então começaram a descer.

– As sandálias nunca falharam comigo e não acho que isso tenha acontecido agora. Não há Nirads aqui – ele explicou.

– O que aconteceu com eles então? – Emily perguntou. – Havia vários logo antes de partirmos, e os tiros não os detinham. O que foi que os parou?

Pegasus começou a relinchar.

– Não sei – Paelen falou. – E nem o Pegasus. Ele não sente o cheiro de nenhum soldado na ilha e acha que ela foi abandonada.

– Mas esta era uma instalação enorme. Por que fariam isso? – Joel perguntou.

Emily deu de ombros.

– Talvez porque fosse muito difícil explicar a presença dos Nirads em Nova York? Quando nossa foto apareceu no jornal, eles disseram que era uma pegadinha. Mas é provável que muita gente tenha visto os Nirads e os danos que eles causaram e começaram a fazer muitas perguntas. Com isso, a UCP teve de se mudar.

– Pode ser – Joel concordou. – Mas se mudaram para onde?

– Para o local no qual estão mantendo o pai de Emily – Paelen falou. – As sandálias tentaram me levar lá da última vez e tenho certeza de que podem fazer isso agora.

– Então vamos lá – Emily falou e outro arrepio desceu por sua espinha. – Não há nada aqui a não ser memórias ruins para todos nós.

Mais uma vez ela não conseguiu afastar a sensação de que estavam sendo vigiados; examinou a área escura em volta e não encontrou nada fora do comum. Ela se inclinou e cochichou no ouvido de Pegasus:

– Pegs, estou com uma sensação entranha. Tem mais alguém aqui?

O garanhão levantou a cabeça e começou a farejar o ar.

– O que foi? – Joel perguntou baixinho.

– Não estamos sozinhos – Paelen sussurrou e começou a procurar em volta também.

Pegasus bateu as patas com raiva no chão e bufou.

Depois, sem aviso, disparou e galopou pelo campo aberto em direção a um dos alojamentos escuros. Furioso, o garanhão deu a volta na casa e atacou a figura que espreitava nas sombras.

Emily e Joel quase foram jogados no chão quando Pegasus empinou e chutou a misteriosa figura.

– Pegasus, não! – gritou uma voz assustada. – Sou eu, o Cupido! Pare, por favor!

– Cupido! – Emily exclamou.

Pegasus voltou a ficar com as quatro patas no chão e bufou furiosamente. Ele empurrou Cupido com a parte de trás de sua asa dobrada para tirá-lo das sombras.

– O que está fazendo aqui? – Joel perguntou enquanto descia de Pegasus e ia em direção a ele.

Paelen apontou um dedo acusador para Cupido.

– Você está nos seguindo. Por quê?

Cupido ficou em pé em frente ao grupo.

– Os Nirads estão no Olimpo.

– E por isso você decidiu seguir a gente? – Joel atacou.

– Emily é o Fogo, o que quer dizer que provavelmente é a pessoa mais poderosa de todos os Olímpicos. Imaginei que os Nirads poderiam vir atrás dela e por isso resolvi ajudar a protegê-la.

– Mentiroso! – Paelen acusou e empurrou Cupido. – Você é um covarde e só veio porque acha que Emily pode usar seus poderes para proteger você dos Nirads. Mas está errado. Volte para o Olimpo, Cupido. Não queremos você aqui.

– Não vou voltar! – Cupido gritou em resposta. – E não pode me forçar a fazer isso, ladrão!

– Posso sim! – Paelen gritou e foi para cima de Cupido.

Logo os dois Olímpicos estavam rolando pelo chão e trocando socos.

– Parem! – Emily gritou. – Não temos tempo para isso!

Joel se moveu para apartar a briga, mas Pegasus deu um passo à frente e bloqueou seu caminho.

– Não faça isso, Joel – Emily alertou. – Eles são muito mais fortes que você e podem feri-lo. Faça alguma coisa, Pegs. Pare os dois, por favor!

Pegasus foi em frente e pegou uma das asas de Cupido com os dentes poderosos. O Olímpico gritou de dor enquanto o garanhão o arrastava. Joel pegou Paelen e o segurou.

– Ai, ai! Solte-me! – Cupido gritou. – Solte-me, Pegasus!

– Parem com isso, os dois! – Emily ordenou e desceu das costas de Pegasus. Ela tremia e se abraçou com força para se manter um pouco aquecida; depois ficou no meio dos dois brigões. – Parem agora.

Paelen tentou se livrar de Joel para atacar Cupido de novo.

– Volte para o Olimpo!

– Não! – Cupido gritou. – Não vou voltar!

Joel segurou Paelen pelos ombros e bloqueou a visão que ele tinha de Cupido.

– Acalme-se, Paelen – disse ele com os dentes rangendo por causa do frio. – Isso não nos leva a lugar nenhum e ainda estamos perdendo um tempo precioso.

– Mas ele não devia estar aqui! – Paelen gritou. – Ele vai acabar fazendo com que sejamos mortos!

– Não vou, não! – Cupido rebateu. – Posso ajudar. – Depois se virou para Pegasus. – Quero ajudar o Fogo.

Emily dividiu sua atenção entre Paelen e Cupido. A última coisa de que precisava era outro Olímpico ali para se preocupar, especialmente um alado.

– Por favor, Cupido – ela disse finalmente, batendo os dentes. – Volte para o Olimpo. Vamos ficar aqui apenas por um curto período e depois também voltaremos para lá.

Cupido voltou sua atenção para ela.

– Você está aqui para libertar seu pai e eu quero ajudar.

Emily sacudiu a cabeça.

– É perigoso demais. Esconder as asas de Pegasus e evitar que seja visto já será bem difícil; não vejo como conseguiríamos fazer o mesmo com você.

– Já fiz isso antes e posso fazer de novo – Cupido afirmou desafiador. – Costumava vir a este mundo regularmente antes de Júpiter proibir todas as visitas. Não vou deixá-la aqui, Fogo. Se se recusar a me deixar ficar com você, eu a seguirei mesmo assim. Você pode ter muitos poderes, mas não o de me mandar para casa.

– Talvez não – Paelen concordou –, mas ela pode queimar você até que vire cinzas. Isso o impedirá de nos seguir.

– Já chega, Paelen – Emily o alertou. – Já disse que não vou usar mais meus poderes, pois eles são muito perigosos.

Pegasus começou a relinchar alto; Emily não entendeu o que o garanhão estava dizendo, mas pôde ver que os olhos de Paelen e de Cupido se encherem de medo.

Paelen baixou a cabeça se sentindo culpado.

– Desculpe, Emily – ele falou suavemente; depois a levantou e a colocou de novo nas costas do garanhão. – Fui um tolo. Devia ter visto que você e Joel estão tremendo e precisam se proteger deste frio. Talvez seja melhor entrarmos em uma dessas casas abandonadas e nos abrigarmos durante a noite.

– Não mesmo! – Emily e Joel falaram ao mesmo tempo.

– Não me importo de estar morrendo de frio – Emily continuou. – Não ficarei aqui. Talvez possamos ir até mais perto de onde estão mantendo meu pai e achar um lugar para ficar por lá.

Joel concordou rapidamente com a cabeça.

– Se não é longe, vamos fazer isso.

4

De volta ao céu, Emily estava com o corpo dormente por causa do frio e podia sentir Joel tremendo atrás de si. As sandálias de Paelen levaram o grupo para o norte, passando por cima de Manhattan. Emily olhou para a esquerda e viu Cupido voando um pouco atrás deles. Suas asas eram menores do que as de Pegasus, mas não muito. Ela sacudiu a cabeça, frustrada. Como eles conseguiriam esconder aquelas asas?

Além disso, ela também temia que não estivessem voando alto o suficiente. E se alguém os visse? Será que ligariam para a UCP e a caçada começaria novamente? Seu simples plano de resgatar o pai de repente parecia se complicar. Ela percebeu que não tinha pensado em como iria soltar o pai quando descobrissem onde ele estava sendo mantido, e aquela era uma falha grave.

Não demorou muito para que começassem a se afastar das luzes brilhantes da cidade, com as sandálias os mantendo em um curso direto para o norte. Emily olhou para baixo e percebeu que estavam passando sobre Yonkers e finalmente seguindo em uma rota menos populosa que levava às Montanhas Catskill.

– Conheço essa área – Joel falou atrás dela. – Meus pais costumavam trazer meu irmão e eu aqui quando éramos pequenos.

– Jura? Eu também! – Emily olhou para trás surpresa. – Tem uma parada de descanso ótima em que sempre ficávamos...

– O Red Apple? – Joel perguntou.

– Isso! – Emily respondeu animada. – Foi onde meus pais se conheceram.

– Sempre parávamos lá também – Joel falou. – Não seria engraçado se por acaso passamos por lá ao mesmo tempo?

– Seria muito mesmo! – Emily concordou batendo os dentes.

A única parte dela que não estava congelando eram as costas, pois estavam encostadas em Joel, mas o resto de seu corpo estava gelado até os ossos. Se não saíssem logo daquele ar noturno, os dois certamente pegariam uma pneumonia. Paelen, Cupido e Pegasus não pareciam ligar nem um pouco para o frio.

– Está ali! – Joel gritou e apontou para sua direita. – Veja, é o Red Apple!

Emily se inclinou e viu que o restaurante no qual seus pais tinham se conhecido estava fechado com madeiras e abandonado.

– Está fechado – ela falou. – O que será que aconteceu?

Emily e Joel estavam tão concentrados no restaurante fechado que não perceberam que as sandálias os estavam direcionando para baixo, mas quando Pegasus começou a relinchar, eles olharam para a frente.

– Estamos descendo – Paelen falou.

– Devemos estar perto de onde seu pai está! – Joel sugeriu.

– Aqui? – Emily falou. – Não tem nada aqui além de montanhas, florestas e o Red Apple.

– E é um ótimo lugar para esconder a UCP – Joel falou.

Emily viu luzes brilhantes piscando a distância, mas eles estavam descendo na direção oposta e bem sobre uma floresta escura. Quando chegaram ao nível das árvores, Pegasus relinchou e se afastou.

– O que foi, Pegs? – Emily perguntou nervosa. Ela olhou para baixo e não conseguiu ver nada escondido nas árvores escuras. – Eles nos viram?

Cupido planou próximo ao garanhão.

– Ele não quer se aproximar daqui enquanto você e Joel estiverem gelados demais para fazermos algo. Ele diz que precisamos conseguir roupas mais quentes primeiro.

Emily ficou dividida. Se estavam tão próximos de finalmente encontrar seu pai, ela odiava ter de se afastar dali. Mas *estava* mesmo congelando; Pegasus tinha razão. Ela e Joel precisavam se aquecer logo, ou então poderiam ter sérios problemas.

– Tive uma ideia! – Joel falou. – Pegasus, leve a gente até as luzes piscando. Sei exatamente onde estamos.

Pegasus relinchou e mudou de direção novamente, liderando o grupo com Paelen e Cupido voando ao seu lado.

Emily se virou para Joel.

– Para onde estamos indo?

– Para lá – ele apontou para luzes brilhantes. – É melhor pousar antes de chegar, Pegasus; afinal, não queremos ser vistos ainda.

Quando se aproximaram, uma música alta e gritos terríveis preencheram o ar. Emily viu que as luzes piscando eram de brinquedos de um parque de diversões, e os gritos eram das pessoas nos brinquedos.

– Pouse aqui – Joel falou e apontou para uma abertura na floresta próxima da cerca que protegia os brinquedos.

Assim que pousaram, Joel pulou das costas do garanhão e chamou Paelen e Cupido para que chegassem mais perto.

– Isso é perfeito. Há alguns anos meu pai me trouxe aqui para o Dia das Bruxas. É o Festival da Floresta Assombrada. Tem uma grande casa mal-assombrada e muitas outras coisas para ver e brincar.

– Não temos tempo de ir ao festival, Joel – Emily falou irritada. Ela estava chegando ao ponto de os dentes nem baterem mais de tanto frio, e agora se preocupava com a hipotermia. – Precisamos de roupas e depois temos de ir procurar o meu pai.

– Eu sei disso – ele respondeu –, mas olhe para nós. Não podemos ir a nenhum lugar vestidos assim. E eles então? – Joel apontou para Cupido e Pegasus. – Olhe essas asas. Temos de achar um jeito de escondê-las.

– Sim, e daí? – Emily respondeu provocativa.

– Emily, estamos na Floresta Assombrada, ainda não entendeu? – Joel continuou. – Está cheio de atores vestidos com fantasias para assustar. Podemos caminhar por lá e todos vão pensar que somos parte das apresentações. E aposto até que podemos entrar nos trailers dos atores e encontrar roupas para nós.

– Ah... – Emily falou, finalmente entendendo. – Tem razão. Mas há um problema: não parecemos assustadores. Não nos encaixamos exatamente aqui. Estamos vestidos como Olímpicos e não como vampiros, demônios ou fantasmas...

– Não estou entendendo nada – Paelen interrompeu. – As pessoas estão vestidas como os mortos nesse local? Por que fariam isso?

– Para assustar as pessoas que vão visitar o festival – Joel explicou.

– E essas pessoas vão lá para serem assustadas?

Joel assentiu.

– Continuo não entendendo...

– Nem eu – Cupido concordou.

– Eu também não – Emily falou. – Também odeio casas assombradas.

– Pode odiar – disse Joel –, mas agora, com a gente vestido desse jeito, é o único lugar aonde podemos ir.

Eles começaram a andar em direção ao festival. No ar frio noturno, começaram a sentir o cheiro de algodão-doce, maçãs do amor e de outras delícias que podem ser encontradas em um parque de diversões.

– Tem comida aqui? – Paelen perguntou ansioso.

– Com certeza – Joel respondeu.

Pegasus também levantou a cabeça e cheirou com vontade a fragrância que vinha do festival.

Não muito depois eles chegaram a uma cerca de arame. Do outro lado viam luzes brilhantes e piscantes de incontáveis barraquinhas nas quais os visitantes tentavam a sorte para ganhar prêmios. Mais para a frente dava para ver os brinquedos. Havia uma roda-gigante cheia de gente, enquanto o Octopus girava no ar com uma música eletrônica tocando sem parar. Do outro lado dele havia um carrossel, com seus cavalos subindo e descendo no mesmo ritmo enquanto perseguiam uns aos outros eternamente. Não muito longe da cerca eles viram o maior e mais brilhante brinquedo de todos: a montanha-russa Monstro. Momentos depois, um carrinho desceu voando pelo trilho com os ocupantes gritando de terror e divertimento. Joel tinha razão. Emily viu muitos artistas fantasiados.

– Isso é loucura! – Paelen disse baixinho enquanto seus olhos percebiam todos os detalhes daquele lugar. – Nunca vi algo assim antes. Preciso ver mais...

– Espere, Paelen – disse Joel. – Tive outra ideia.

Ele se abaixou e encheu as mãos de lama e folhas caídas, passando-as no rosto, nos braços e na túnica. Então, olhou sorrindo para Emily.

– Pronto, agora me encaixo aqui. Sou um Olímpico zumbi.

Emily riu das folhas e gravetos no cabelo de Joel.

– Boa ideia! Me ajude a descer do Pegasus; também quero ser zumbi. – Ela se virou para Cupido. – E você também. Você será um zumbi alado.

Ele sacudiu a cabeça e pareceu aflito.

– Não está sugerindo que eu esfregue essa sujeira toda em mim, não é mesmo?

Emily se abaixou e encheu as mãos com a lama gelada; depois caminhou até Cupido.

– Não, claro que não... – Antes que pudesse protestar, Emily jogou a lama nele. – Eu faço isso por você. Pronto. Agora você também é um zumbi. – Então se virou para Paelen.

– E você?

Paelen levantou as mãos rapidamente.

– Eu faço, pode deixar. Não entendo por quê, mas farei.

Finalmente, todos se voltaram para Pegasus, que, mesmo sob a cobertura sombria da floresta, era de um branco brilhante.

– Desculpe, Pegs – Emily disse calmamente enquanto se aproximava de sua cabeça –, mas você está brilhando. Temos de fazer com que pareça um cavalo comum de novo. Podemos cobrir você de lama?

Pegasus a empurrou carinhosamente.

– Muito bem, gente. Vamos cobrir o Pegasus.

Pouco depois, todos estavam cobertos de lama e de folhas, a não ser pelas penas de Pegasus e de Cupido. Com seu andar lento e cambaleante, Joel demonstrou como os zumbis caminham. Emily riu ao ver Paelen e Cupido tentando imitá-lo.

– E lembrem-se – Joel alertou Pegasus e Cupido –: não interessa o que virem ou o que acontecer, tentem não mover as asas. Elas, teoricamente, são apenas uma parte da fantasia de vocês.

Passar pela cerca foi um problema apenas para Pegasus, que precisava de mais espaço para se lançar no ar. Eles vigiaram e esperaram aquela área ficar vazia antes de voarem por cima dela.

Finalmente estavam no Festival da Floresta Assombrada e, apesar dos seus disfarces, Emily sentiu um frio na barriga de nervoso. Ela estava montada em Pegasus e, mesmo com seu aparelho de suporte escondido embaixo da asa dobrada dele, ela se sentia exposta e vulnerável.

Quando caminharam por entre os visitantes, as pessoas os olhavam com curiosidade, mas mantinham distância. Em uma ocasião Emily viu duas garotas olhando para Cupido e sorrindo para ele. "Que gato!", ela as ouviu dizer entre risinhos quando passaram.

Eles continuaram e o ar estava cheio de gritos que surgiam quando os artistas surpreendiam os visitantes desavisados e faziam o máximo que podiam para assustá-los. Um pouco à frente, viram a atração principal, a casa mal-assombrada. Emily viu um artista vestido de Morte e carregando sua foice. Ele cuidava da entrada, convidando as pessoas para entrar na casa e fazendo o máximo para deixar os que esperavam com medo.

– As pessoas fazem isso para se divertir? – Paelen perguntou enquanto via a Morte fazendo garotas gritarem de terror.

– Fico imaginando como reagiriam se vissem um Nirad – Cupido acrescentou. – Isso ensinaria a esses humanos o verdadeiro significado do medo.

Joel suspirou.

– Vocês não entenderam nada. As pessoas vêm aqui para serem assustadas porque é um medo seguro. Ninguém se machuca. O objetivo é a diversão.

– Continuo não entendendo seu mundo – Paelen falou.

– E nem precisa – Joel continuou. – Vamos pegar o que precisamos e sair daqui antes que Emily e eu congelemos.

Joel liderou o grupo por entre a multidão. Emily observou Paelen e Cupido, que olhavam com muita curiosidade para as pessoas fantasiadas ao redor.

– Por aqui – Joel falou. – Lá estão os trailers. Vamos.

Eles se aproximaram de uma área mais silenciosa, onde havia uma longa fila de trailers de artistas, e passaram por um grande aviso que dizia: ÁREA PRIVATIVA. NÃO ENTRE.

– Você e Pegasus ficam vigiando – Joel falou para Emily. – Vamos pegar umas roupas. – Então se virou para Paelen. – Sei que parou de roubar, mas pelo menos agora você tem de ser um ladrão de novo.

– Se é necessário... – Paelen disse com um falso tom de chateação. – Então olhou para Emily com seu sorriso malicioso. – Mas não vou me divertir com isso.

Emily sacudiu a cabeça e riu.

– Vai logo! – ela falou e ficou esperando com Pegasus. – Espero que eles se apressem – disse a Pegasus, apertando os braços contra o corpo.

Depois de alguns minutos ela ouviu vozes. Algumas pessoas vinham naquela direção. Emily olhou para os trailers e não conseguiu ver Joel ou os outros, então desceu das costas de Pegasus.

– Calma, Pegs, deixa que eu cuido disso.

Quatro homens muito maquiados se aproximaram. Dois estavam vestidos como vampiros, um como zumbi e o outro como Frankenstein.

– Ei, você! – o zumbi chamou. – Não sabe ler? Esta área é proibida para o público. O que está fazendo aqui com esse cavalo? A competição de fantasias é do outro lado do festival.

– Eu sei – Emily respondeu. – Desculpe, é que meu cavalo ficou assustado com a multidão e por isso eu o trouxe aqui para se acalmar.

– Foi burrice sua trazê-lo até a feira – um dos vampiros falou. – Isso não é lugar para animais. É por isso que eles não permitem cães e gatos.

O homem fantasiado de Frankenstein chegou mais perto.

– E do que é que você está vestida?

– De zumbi do Olimpo – Emily respondeu enquanto observava os artistas circularem ao redor deles.

Todos riram.

– Zumbi do Olimpo?

– Nunca vi um cavalo zumbi antes, ainda mais um com asas – disse um dos vampiros.

– É que ele é o zumbi do Pegasus – Emily explicou.

Eles chegaram mais perto e começaram a examinar o garanhão.

– Belas asas – disse Frankenstein, que esticou a mão e deu um tapinha na asa dobrada. – Quanto tempo você demorou para fazê-las?

O coração de Emily quase parou quando ele examinou a asa de Pegasus de perto. O garanhão não tirou os olhos dele e pareceu ficar agitado pela proximidade do homem.

– Não encoste, por favor, ele não gosta de estranhos – ela alertou.

– Essa é outra razão para você não tê-lo trazido aqui – o zumbi falou.

– Não devia mesmo – Emily concordou. – Se me derem só alguns minutos a sós com ele logo a gente vai embora.

– Que tal ir embora agora? – o vampiro sugeriu. – Ou acha melhor eu chamar os seguranças?

Então um som de passos veio de trás de um dos trailers. Emily se virou e ficou feliz por ver Joel, Paelen e Cupido surgindo das sombras.

– Você está bem, Em? – Joel correu até ela. Paelen vinha logo atrás carregando um embrulho e Cupido logo depois dele.

– O que estavam fazendo lá atrás, garotos? – o zumbi perguntou. Então ele viu que Paelen carregava algo. – E o que você tem aí?

– Quem, eu? – Paelen perguntou inocentemente.

– Ei, não é o casaco do Jamie? – O vampiro perguntou para os amigos.

– Acho que é – Frankenstein concordou, aproximando-se de Joel. – Vocês estavam roubando os trailers, moleques?

– Roubando não – Paelen respondeu –; pegando emprestado sem intenção de devolver.

O zumbi aproximou-se dele.

– Você se acha bem espertinho, hein? Devolva já as coisas e saia daqui!

– Ou então você fará o quê? – desafiou-o Cupido, dando um passo à frente.

– Ou eu mesmo tomarei de vocês.

– Gostaria de ver você tentar, *humano*.

A situação se deteriorou rapidamente. Emily viu a asas de Cupido se moverem um pouco. Percebendo que ele estava pronto para lutar, ela se moveu rapidamente e ficou entre os dois grupos.

– Deixa pra lá, gente. Vamos embora.

Cupido fez que não com a cabeça.

– Fique longe, Fogo. Não vou deixar esses humanos falarem assim com a gente.

– Certo, já chega! – O zumbi falou e se virou para um dos vampiros. – Jimmy, vá chamar os seguranças que nós ficaremos com eles.

Mas Pegasus bloqueou o caminho de Jimmy. Quando ele foi para a esquerda, Pegasus fez o mesmo; ele foi para a direita, e Pegasus também. Cada movimento que fazia era detido pelo garanhão.

– Ei, chame o seu cavalo! – disse Jimmy enquanto tentava dar a volta em Pegasus.

– Por favor – Emily implorou –, não queremos problemas, mas estamos congelando e precisamos das roupas. Deixem a gente ir embora com elas, por favor!

– Não, Fogo – Cupido falou –, você não deve implorar! Não é digno de você. – Então, se virou para os artistas e abriu as asas ameaçadoramente. – Agora vamos sair daqui e vocês não vão nos impedir.

Os homens fantasiados deram um passo para trás, nervosos, ao verem aquelas enormes asas abertas.

– O que está acontecendo? Como fez isso?

– Pare, Cupido! Feche suas asas! – Emily gritou e olhou para o garanhão. – Pegs, fale para ele parar!

Pegasus bufou, sacudiu a cabeça e arrastou a pata no chão antes de empinar e abrir as próprias asas. Depois de relinchar nervosamente, ele foi para a frente.

Quando os atores perceberam que as asas de Pegasus eram tão reais quanto as de Cupido, tentaram correr, mas Paelen e Cupido os impediram. A luta foi rápida, mas brutal, e em segundos os homens estavam inconscientes no chão.

– Por que fizeram isso? – Emily perguntou furiosa. – Poderiam ter matado eles com a força de vocês!

Nervoso, Paelen apontou para Cupido.

– Tivemos de fazer isso por causa dele! – Paelen foi para cima de Cupido e o empurrou com força. – O Joel falou para você não mostrar as asas! Estamos tentando nos misturar e não aparecer; por sua causa tivemos de ferir estes homens inocentes!

Pegasus relinchou alto mais uma vez.

Paelen se virou para Emily e Joel, respirou fundo e se acalmou.

– Pegasus está dizendo que devemos prender e esconder os homens. Depois temos de partir antes que deem pela falta deles. – Ele se abaixou e pegou a pilha de roupas. – Tome – disse entregando um casaco para Emily –, coloque isso e se aqueça, por favor.

Emily e Joel vestiram os casacos enquanto Paelen e Cupido usavam os cintos dos homens para amarrar suas mãos, carregando-os depois para um dos trailers e os deixando lá.

De volta ao festival, a noite seguia com tudo. Havia ainda mais artistas atacando e assustando a multidão de visitantes.

Várias pessoas ficavam olhando e apontavam quando Pegasus passava no meio delas, comentando sobre suas asas, mas aceitando o animal como parte do show.

Eles passaram por um homem, vestido de palhaço, que estava sentado em uma plataforma acima de um tanque de vidro cheio de água e gritava insultos para os visitantes. Seu trabalho era incitá-los a acertar a bola no alvo, o que faria com que caísse na água.

Quando viu o grupo, seus olhos imediatamente pararam em Paelen.

– Bom, e o que temos aqui, minha gente? – disse ele em um microfone que ampliava bastante o som. – Ele não é adorável? Um belo garotinho e seu pônei de estimação. Sua mãe sabe que está aqui tão tarde, docinho?

Paelen olhou para o palhaço, mas não disse nada.

– Qual é o problema, menino da toga? Não quer vir até aqui e brincar? E os seus amigos? Ei, pessoas estranhas, hoje é Dia das Bruxas, e não uma festa da toga! Vistam-se direito.

– Você vai aceitar os comentários rudes dele? – Cupido perguntou a Paelen, em tom desafiador.

– Sim, ele vai – Emily falou. – Já causamos problemas demais por aqui. – Ela olhou para Paelen. – Ele só está provocando você para que vá lá e pague para jogar uma bola no alvo para tentar derrubá-lo na água. É assim que ele ganha dinheiro.

Paelen franziu a testa olhando para o palhaço acima do tanque de água.

– Ele quer que eu jogue uma bola nele?

– Não nele – Joel apontou –; naquele alvo ao lado do tanque. Se acertar, derruba ele na água fria.

Paelen se aproximou do brinquedo.

– Não, Paelen – Emily pediu –, não faça isso! Volte aqui, por favor!

Mas Paelen já estava parado na linha demarcada para que as pessoas arremessassem as bolas. O assistente do palhaço jogava uma para o alto e dizia a ele o preço por três tentativas.

– Qual é o problema, garoto da toga? Está com medinho? – O palhaço começou a imitar uma galinha. – Talvez o seu pônei alado possa ajudá-lo.

– Vamos embora – disse Emily pegando Paelen pelo braço –, por favor.

Quando começaram a se afastar, o palhaço assobiou.

– Pelo visto agora sabemos quem usa calças compridas nessa relação, né? Vai deixar uma garota tonta com uma perna ruim te dizer o que fazer, garoto da toga? Ou talvez esteja com medo de ela tirar o aparelho da perna e bater em você com ele?

Paelen parou.

– Ele pode me insultar – falou devagar –, mas não a você. Aquele homem precisa aprender boas maneiras. – Com a velocidade de um raio, Paelen pegou uma bola e usou toda sua força olímpica para jogá-la no alvo. Ela explodiu com o impacto e quebrou o apoio do alvo. Um sino tocou, a prancha que segurava o palhaço se soltou e ele caiu na água gelada.

Paelen esfregou as mãos e sorriu para Emily.

– Ele não vai insultar você de novo.

Uma parte de Emily queria dar uma bronca nele por perder a cabeça, mas a garota entendeu que ele tinha feito aquilo por ela, então não disse nada, apenas sacudiu a cabeça.

– Vamos, herói, é hora de ir.

Pouco tempo depois, eles estavam passando pelas barracas de comida. O ar tinha cheiro de hambúrguer, algodão-doce e milhares de outras guloseimas deliciosas.

– Estou morrendo de fome – Joel comentou olhando para a comida com desejo.

– Eu também – Cupido concordou; foi até uma barraca que vendia maçãs do amor e algodão-doce e esticou a mão. – Me dá um.

– De novo não... – Emily resmungou indo atrás dele. – Espere, Cupido! Não pode andar por aí exigindo coisas. Não é assim que funciona por aqui. Se quiser algo, precisa comprar.

– Mas estou com fome.

– Sim, igual a todo mundo, mas não temos dinheiro – sem graça, Emily pediu desculpas ao vendedor. – Sinto muito. Meu amigo é novo por aqui e não entende as coisas. Não temos como pagar por isso.

O vendedor deu de ombros e guardou a maçã do amor.

– Vestido assim, por que ele não entra na competição de fantasias? – Ele apontou para uma tenda grande e colorida, cheia de gente. – O prêmio é de duzentos dólares e está para começar.

– Jura? – Emily olhou para Cupido. – Ouviu isso? Duzentos dólares!

Animados, retornaram ao grupo e Emily explicou aos outros sobre a competição.

– Sei que temos de sair daqui, mas também precisamos de dinheiro. Se Cupido vencer, poderemos comprar um monte de comida e mais roupas.

– O que terei de fazer? – Cupido quis saber.

– Nada – Joel respondeu. – Apenas andar por lá do jeito que ensinei. Podemos inscrever você como um anjo zumbi.

– Mas não sou um anjo.

– É só para fingir, Cupido – Emily falou cansada. – Você vai fingir que é um anjo zumbi, só isso.

Cupido olhou em volta.

– Igual a essas pessoas fingindo que são criaturas mortas para assustar os outros?

– Exatamente! – Joel concordou. – É simples. Apenas entre lá e, com essas asas, tenho certeza de que ganhará!

– Ele não vai fazer isso – Paelen disse em tom cético. – Ele é um covarde e tem medo demais para tentar.

– Não sou, não! – Cupido respondeu.

– Então prove – Paelen provocou. – Entre na competição. Se ganhar, eu me desculpo.

Cupido se virou para Emily.

– Está bem, eu participo. Vou provar que não sou covarde e nem egoísta e ganharei o dinheiro para todos nós.

Emily se manteve perto de Pegasus enquanto eles caminhavam pela enorme multidão em direção à tenda brilhante na qual ocorreria a competição. Do lado de fora, visitantes fantasiados se aglomeravam.

– Alguém mais? – perguntou um homem com um megafone. – É a última chance. A melhor fantasia ganhará duzentos dólares em dinheiro! Inscrevam-se aqui e podem entrar!

Emily foi até a mesa de inscrição.

– Gostaríamos de participar, por favor.

A mulher olhou para Emily e depois para Cupido, medindo-o de cima a baixo com sua túnica curta e coberta de lama; depois sorriu.

– E qual é o seu nome, gato?

– Cupido – ele respondeu suavemente, inclinando-se para perto dela e retribuindo o sorriso.

– Huumm, o Deus do Amor – a mulher disse suspirando.

– Não – Emily disse rapidamente. – Não é um Cupido. Ele é o Anjo Zumbi.

Com uma expressão sonhadora, a mulher repetiu o nome e lentamente entregou a Cupido um cartão com o número de sua inscrição.

– Espere ali, Anjo, e aguarde ser chamado. Boa sorte.

Cupido pegou a mão da mulher e a beijou docemente.

– Muito obrigado.

O coração de Emily também acelerou quando Cupido utilizou o seu modo encantador.

– Hã, vamos, Anjo – ela gaguejou. – É por aqui.

Emily ficou na fila com Cupido esperando ele ser chamado, enquanto Joel e Paelen ficaram com Pegasus mais afastados daquela tenda. Um a um, foram vendo os outros competidores sendo chamados. Havia assassinos da serra elétrica, múmias, alienígenas grotescos, demônios e várias vítimas de assassinato cobertas de sangue falso, todos subindo ao palco e mostrando suas fantasias. Quando o número de Cupido finalmente foi chamado, ele segurou a mão de Emily.

– Vamos, Fogo, quero que participe comigo. Tire o casaco.

– Não, Cupido – Emily respondeu rapidamente. – Não quero que ninguém veja o meu suporte de ouro.

– Se quer vencer é melhor fazer o que eu disser.

Emily olhou indefesa para Pegasus, mas deixou Cupido tirar seu casaco e a levar junto para a tenda lotada.

– Aqui está o competidor número 31, o Anjo Zumbi! – disse o apresentador.

Cupido segurou a mão de Emily enquanto caminhava como um zumbi até o palco, e a puxou com ele lá para cima. Vestida apenas com sua túnica de seda e o aparelho dourado na perna, Emily examinou a multidão alegre que recebia Cupido enquanto ele subia ao palco. Era como se ela fosse invisível. Todos os olhos estavam focados apenas no Olímpico alado coberto de lama seca.

– Sou eu – Cupido anunciou teatralmente, acenando com a mão e se curvando dramaticamente –, o Anjo Zumbi! – Ele sorriu de forma radiante para a plateia e Emily pôde sentir que reagiam ao charme dele. – E aqui temos aquela a quem pertence o coração do zumbi, a Chama do Olimpo!

Cupido ficou ajoelhado sobre um dos joelhos diante de Emily. Depois curvou a cabeça e, vagarosamente, abriu as belas asas e as estendeu completamente. A multidão gritou animada. Meninas davam gritinhos e pulavam cantando: "Anjo! Anjo! Anjo!" enquanto tentavam se aproximar do palco e encostar nele.

– Não, Cupido! – Emily falou. – Não mostre suas asas!

Seus olhos estavam arregalados de medo enquanto olhava para a plateia, mas todos foram enganados. Eles amavam Cupido e não tinham ideia de que não era uma fantasia. Cumprimentos e gritos alegres preencheram a tenda por vários minutos até que o apresentador subiu ao palco e levantou as mãos na tentativa de acalmar a plateia frenética.

– Feche as asas – Emily ordenou baixinho enquanto continuava a observar a plateia nervosamente.

Cupido levantou e passou um braço e uma asa pelas costas de Emily.

– Acredito que ganhamos – ele sussurrou suavemente no ouvido dela.

– Muito bem – o apresentador falou alto –, se acalmem! Posso ver pela reação de vocês que já temos o vencedor!

Mais uma vez os aplausos e gritos chegaram às alturas enquanto o apresentador tirava um envelope do bolso.

– O prêmio de melhor fantasia desta noite vai para... o Anjo Zumbi e sua Chama do Olimpo!

Ele entregou o envelope a Cupido e, enquanto lutava para controlar os gritos histéricos da multidão, colocou o microfone na cara de Emily.

– Qual é o seu nome, querida?

– Hã? Ah... Emily – ela respondeu nervosamente com o coração batendo muito rápido e a certeza de que ele descobriria a verdade sobre Cupido.

– E você? – ele perguntou movendo o microfone para o Olímpico.

– Sou o Cupido.

Mais uma vez as garotas na tenda gritaram excitadas em resposta ao que ele tinha dito.

Emily nunca tinha visto nada igual e ficou observando a multidão na tenda que admirava e adorava Cupido. Mas então ela viu um par de olhos em particular que não gritava ou torcia pelo Olímpico. Eles olhavam só para ela.

– Não pode ser! – ela falou. – O que ele está fazendo aqui?

– O que foi? – Cupido perguntou.

Emily apontou para o homem que falava com urgência para alguns jovens fantasiados em volta dele, e depois o viu gritar pelo celular. Quando desligou, ele e seus homens começaram a caminhar por entre a multidão histérica. Os olhos dele estavam focados em Emily e não havia erro.

– A UCP!

5

Enquanto a multidão avançava e tentava chegar perto de Cupido, os olhos de Emily procuravam preocupadamente pelo agente O. Não havia erro. Emily se lembraria de seus olhos cruéis em qualquer lugar. Ele era um dos homens que a tinham torturado na Ilha do Governador e que tinham deixado Pegasus para morrer quando ele estava ferido.

– Temos de ir embora – Cupido falou.

Ele devolveu o casaco a Emily e a pegou pela mão, mas quando começaram a descer os degraus do palco, a multidão de garotas o cercou. Emily foi empurrada e puxada até que sua mão se soltasse da mão dele.

– Cupido! – ela gritou.

– Fogo! – ele chamou, mas o som veio dos fundos da tenda. A massa de garotas tinha levado Cupido até a parede de lona da tenda. Emily se esforçou para ir em direção a ele, mas a multidão era densa demais e, quando se virou para sair, deu de cara com um pesadelo.

– Emily Jacobs, mas que surpresa vê-la aqui, de volta – o agente O. falou enquanto seus dois homens vestidos de alienígenas bloqueavam a passagem dela. A mão dele se fechou em torno do braço de Emily em um aperto maldoso. – Ou devo chamá-la de Chama do Olimpo?

– Não é possível, você não pode estar aqui! – disse ela, tentando se soltar. – Vi o Pegasus matar você!

O agente O. sacudiu a cabeça.

– Ele matou o agente J. e me deixou com isto. – Ele abriu a camisa e mostrou uma grande e profunda cicatriz em forma de ferradura. – Por sua causa e daquele cavalo fui transferido para esta cidade caipira entediante. Minha única fuga da monotonia vinha sendo vir a este Festival da Floresta Assombrada com alguns amigos, mas, agora que a encontrei, serei promovido e sairei deste lugar. Você é minha passagem de volta para Nova York.

– Me solte! – Emily exigiu, fazendo força para se soltar.

– Soltar você? – o agente O. repetiu. – Jamais! Você está em débito comigo, Emily. Eu tinha uma vida lá na cidade antes que você a roubasse de mim. Agora roubarei algo de você também: sua liberdade! – disse e começou a arrastá-la.

Emily olhou para trás em direção a Cupido.

– Não se preocupe com seu amigo alado lá atrás. Logo meus homens lidarão com ele.

Enquanto a arrastava em direção à saída, Emily viu os quatro homens fantasiados que Paelen e Cupido tinham atacado. Eles entraram na tenda com um grupo de policiais e seguranças do festival.

– Lá está ela! – Frankenstein apontou para Emily. – A menina estava com os outros!

Emily começou a perder o controle. Primeiro a UCP, depois a polícia. As coisas estavam acontecendo rápido demais. Sua Chama interna começou a rugir e crescer quando ela começou a tremer.

– Me solte – ela alertou o agente O. – Você não entende o que está acontecendo. Eu não sou mais a mesma pessoa de antes. Por favor, posso acabar machucando você!

– Cala a boca! – ordenou o agente O., forçando-a por entre a multidão.

Quando os artistas, seguranças e policiais se aproximaram, o agente O. e seus homens pegaram seus distintivos.

– Para trás! Ela é *minha* prisioneira.

– Não... controle-se, Em! – Emily disse para si mesma, lutando contra o fogo dentro de si. – Não faça isso. Controle-se!

Mas o formigamento na boca de seu estômago aumentou, fluiu pelos braços e finalmente chegou até suas mãos.

– Afastem-se de mim agora, todos vocês! – ela gritou. – O Fogo está vindo e não posso pará-lo!

– Falei para calar a boca! – gritou o agente O. furiosamente enquanto a arrastava com força. – Não quero ouvir mais nada!

Os poderes dela se soltaram.

Chamas incontroláveis saíram das pontas de seus dedos e acertaram as pernas do agente O., que caiu no chão rolando e gritando de dor e com a calça pegando fogo.

Emily virou as mãos para longe do público ao redor e apontou seus raios de fogo para baixo, de maneira que começaram a fazer dois grandes buracos na grama e na terra.

O agente O. continuou a gritar e se contorcer de dor enquanto seus homens tentavam apagar o fogo das pernas dele. As pessoas próximas a Emily gritaram aterrorizadas e correram para a saída, mas o resto do público, aqueles que não conseguiram ver a origem das chamas, aplaudiu aquele inesperado show de pirotecnia.

– Pare! – Emily ordenou a si mesma. Ela estava perto de ficar em pânico quando as chamas foram se intensificando e, não importava o quanto tentasse, não conseguia fazê-las parar.

De repente um relincho alto veio da entrada da tenda. Emily olhou para lá e viu Pegasus empinando e abrindo as asas enormes. Policiais estavam ao redor do garanhão tentando agarrá-lo, enquanto a multidão gritava e aplaudia em uma animação histérica. Pegasus relinchou de novo e disparou, entrando na tenda.

– Pegasus! – Emily gritou agradecida. Ver o garanhão ali a acalmou de alguma forma. As chamas diminuíram, ela conseguiu se controlar e, finalmente, as deteve completamente.

Emily olhou para o agente O.

– Sinto muito, de verdade! Não venha atrás de nós, por favor. Não consigo controlar meus poderes.

– Você é uma aberração! – ele falou segurando as pernas queimadas. – Vou trancafiá-la em um lugar tão profundo que vai se esquecer de como é a luz do sol!

Porém, quando o agente O. viu Pegasus se aproximando de Emily, sua voz sumiu e ele ficou paralisado de medo.

– Mantenham-no longe de mim! – ele guinchou para seus homens, apontando um dedo trêmulo para Pegasus. – Não o deixem se aproximar!

Enquanto a multidão chegava perto para olhar melhor e tentar encostar no garanhão, Emily segurou em sua asa e o montou. Quando Pegasus começou a trotar em direção à saída, ela ouviu as palavras cortantes do Agente O.

– Não pode fugir de mim, Emily! – rugiu. – Não importa aonde vá, nunca deixarei de procurar você! Eu a encontrarei e a farei pagar por isso...

Ela se virou e viu o ódio que ardia em seus olhos assustados e arregalados.

Do fundo da tenda, as garotas ainda cantavam: "Anjo Zumbi! Anjo Zumbi!".

– Chega! – Cupido gritou e pulou bem alto. Sua túnica tinha sido rasgada e mal cobria seu corpo musculoso; ele sangrava por causa de arranhões no peito, nos braços e no rosto.

Cupido abriu as asas e, com várias batidas, voou por cima da multidão animada e para fora da tenda, seguido de perto por Pegasus. Uma vez lá fora, o garanhão galopou bem rápido se desviando das pessoas e também se lançou no ar.

Emily olhou para baixo e viu centenas de flashes de câmeras de celulares enquanto a multidão acenava e gritava para eles, que voavam cada vez mais alto. Ao lado da cerca, no estacionamento, ela viu vários carros pretos e caminhões do exército chegarem e soldados saírem de dentro deles.

– Você está bem, Em? – Joel estava agarrado às costas de Paelen enquanto as pequenas sandálias aladas carregavam os dois até Pegasus. – Os artistas se soltaram e chamaram os seguranças. Tivemos de lutar com os policiais para escapar, e então os vimos entrando na tenda.

– Joel! – Emily gritou. – O agente O. e alguns dos homens dele estavam lá embaixo!

– O quê? – Joel e Paelen gritaram juntos. – Onde? Na tenda? Ele viu você?

– Viu. – Emily apontou para os caminhões do exército e os soldados se reunindo no festival. – Eles me pegaram, mas perdi o controle dos meus poderes e botei fogo no agente O.

Joel deu um soco no ar celebrando o que tinha ouvido.

– Isso! Ele mereceu!

– Foi horrível! – Emily falou. – Ele me ameaçou e disse que nunca vai parar de me perseguir. O que vamos fazer?

– São ameaças vazias, Emily – Paelen falou. – Mas realmente precisamos achar um lugar para parar e conversar a respeito de tudo.

– Vamos voltar ao Red Apple – Joel sugeriu. – Está abandonado. Podemos nos esconder lá e planejar o que faremos a seguir.

Alguns minutos depois eles estavam pousando no estacionamento escuro do restaurante abandonado. Tábuas pesadas de madeira cobriam todas as janelas e a área estava completamente fechada. Quase não havia tráfego na estrada e não havia vizinhos com que se preocupar. Eles estavam sozinhos.

– Aqui vai ser perfeito – Joel falou olhando em volta. – O lugar está abandonado faz tempo.

Emily ainda estava tremendo quando desceu de cima de Pegasus e se aproximou da porta dos fundos.

– Mas como vamos entrar? Não queremos que ninguém saiba que estamos aqui.

– Deixa isso comigo – Paelen se ofereceu e deu um passo para trás para usar seu poder olímpico. Ele tinha a habilidade de se esticar e manipular o corpo para caber em qualquer espaço, até mesmo nas áreas mais apertadas. Doía muito e fazia barulho quando seus ossos se alongavam e rachavam para que seu corpo se esticasse, mas aquilo tinha salvado sua vida em várias ocasiões. Ele ordenou que as sandálias aladas o levassem até o telhado e eles o viram se espremer em uma pequena chaminé de exaustor da cozinha.

– Nunca vou me acostumar a vê-lo fazer isso – Joel comentou tremendo e sacudindo a cabeça com o desconforto.

Momentos depois eles ouviram barulhos do outro lado da porta e o som das travas sendo giradas. Finalmente a porta se abriu. Paelen se curvou graciosamente e sorriu.

– Entrem e sejam bem-vindos ao meu lar. Não é perfeito, mas eu gosto.

Pegasus entrou seguido de Emily, Joel e então Cupido. Eles estavam na cozinha do restaurante.

– Imagino que as luzes não estejam funcionando – Joel falou. – Não consigo ver nada.

– Nem eu – Emily concordou.

Pegasus a empurrou carinhosamente e relinchou baixinho.

– Segurem-se nas asas de Pegasus e ele os guiará – disse Paelen fechando a porta e trancando-a, enquanto Pegasus levava Joel e Emily até a área das mesas, que estava negra como a noite mais escura e muito fria.

– Em, será que não pode fazer algo em relação à temperatura? – Joel perguntou. – Estou congelando.

– Tipo o quê?

– Tipo acender um fogo para que possamos enxergar e finalmente nos aquecermos.

– N-não acho que deveria fazer isso – Emily respondeu apreensiva. – Botei fogo nas pernas do agente O. e quase queimei toda a tenda. Você sabe que não consigo controlar meus poderes.

Pegasus ainda estava ao lado dela e relinchou suavemente.

– Lá na tenda você estava com medo – Paelen traduziu. – Agora é diferente. Pegasus diz que você consegue controlar se estiver calma.

Emily apertou os olhos, mas não conseguiu ver nada e então aceitou que precisavam mesmo de luz. E mais do que isso, eles precisavam de calor.

– Está bem – ela concordou –, mas precisamos fazer isso em um lugar seguro, senão posso acabar botando fogo no restaurante todo.

– Venha, Cupido – Paelen o chamou já começando a se mover. – Me ajude a encontrar um lugar para acendermos o fogo.

Emily e Joel ficaram juntos no escuro enquanto ouviam os sons de Paelen e Cupido andando pelo restaurante. Da cozinha veio o som de madeira se quebrando e de algo pesado sendo arrastado para a área em que estavam, seguido do barulho de velhas cadeiras e mesas sendo quebradas.

– Muito bem, Emily – disse Paelen pegando sua mão e a levando em frente com cuidado. – Você está apenas a alguns passos da pilha de madeira, que bate mais ou menos na sua cintura. Se começar com uma chama bem pequena, deve pegar fogo facilmente.

Emily sentiu a presença tranquilizadora de Pegasus bem atrás dela e tentou imaginar que estava no Olimpo tendo aula com Vesta. Ela esticou as mãos para a frente e imaginou uma pequena chama saindo das pontas de seus dedos e descendo para a pilha de madeira.

O formigamento começou em seu estômago e fluiu para seus braços. De repente chamas surgiram de seus dedos e voaram para a pilha de madeira.

– Devagar – Joel falou. – Isso mesmo, mantenha o fogo baixo e controlado.

Quando a madeira começou a queimar com um fogo brilhante, Emily apagou suas chamas. Dessa vez seus poderes obedeceram e o fogo sumiu de seus dedos. Ela viu que a pilha de madeira tinha sido montada em cima de um antigo fogão de aço e que não havia risco de o fogo se espalhar.

– Muito bom! – disse Paelen dando um tapinha em suas costas. – Sabia que conseguiria!

Emily sorriu ao olhar para o fogo bem controlado. Aquela era a primeira vez que seus poderes tinham feito o que ela ordenara. As chamas clarearam o lugar e trouxeram um calor muito bem-vindo. Ela esticou as mãos para o fogo e finalmente começou a se sentir aquecida desde que tinham partido do Olimpo. Joel estava ao seu lado e também aproveitava o calor.

Emily finalmente começou a relaxar e olhou para Cupido. Ele tinha estado em silêncio desde que pousaram e ficava sempre um pouco afastado do grupo. Ela se afastou do fogo e foi até ele; foi aí que viu o monte de arranhões por todo o seu corpo.

Cupido olhava para sua túnica esfarrapada e sacudia a cabeça.

– Não entendo o que aconteceu – disse em um sussurro abafado. – As mulheres costumavam me adorar, mas eram tímidas e precisavam de persuasão. Só que, esta noite, aquelas garotas estavam loucas! Elas estavam me rasgando todo, puxaram meus cabelos, minhas penas e rasgaram minha túnica. Era como se estivessem tentando roubar um pedaço de mim.

– Bem-vindo ao novo mundo – Emily disse baixinho. – Nós falamos que este não era o mesmo lugar que você costumava visitar. Nós mudamos. Você parecia um astro do rock lá em cima, e aquelas garotas queriam você.

– Elas queriam me matar!

Emily fez que não com a cabeça.

– Não, elas não queriam matar você. Elas só queriam tocá-lo e talvez pegar algo para que pudessem se lembrar.

Cupido abriu as asas e mostrou a ela o grande estrago feito pelas garotas histéricas. Emily pôde ver grandes buracos onde antes havia penas.

– Mal consigo voar. Vai demorar muito tempo para todas elas crescerem de novo.

– Talvez não – Emily respondeu, esticando a mão e acariciando suas asas coloridas, apreciando a maciez das penas. Sempre que ela tocava um lugar em que faltavam penas, pelos saíam e começavam a crescer. Logo depois eles se abriam e novas penas saíam deles.

Das asas ela foi para as costas, passando os dedos suavemente pelos sulcos profundos, e os viu desaparecerem instantaneamente. Enquanto trabalhava, Emily observava com fascinação o ponto onde as poderosas asas de Cupido saíam das costas dele. Elas pareciam fazer parte de suas escápulas, mas podiam se mover independentemente dos braços. Havia músculos muito fortes na região que davam suporte para que ele voasse. Ela ficou imaginando como ele conseguia dormir com aquelas asas, ou mesmo como conseguia deitar de costas, mas era muito tímida para perguntar e pensou que provavelmente ele só dormisse de lado.

Emily finalmente passou para a parte da frente e curou o rosto e o peito dele. Quando terminou, sentiu seu próprio rosto ficar vermelho. Naquela luz do fogo que tremeluzia, Cupido era mais lindo do que ela poderia imaginar.

Cupido examinou suas asas recém-curadas e passou a mão pelas penas.

– Tinha ouvido falar que você podia curar os Olímpicos – ele disse impressionado –, mas não tinha acreditado. Muito obrigado, Fogo!

– Quantas vezes preciso dizer a você que o nome dela é Emily? – Paelen protestou e seguia em direção a eles. – Devia tê-lo deixado como estava. Talvez assim aprendesse a ser um pouco mais humilde!

– Mas ele estava ferido!

– Por culpa dele mesmo! – Paelen desafiou e cutucou Cupido com força. – Sei o que fez lá na tenda. Você se expôs demais e colocou Emily em perigo. Pode imaginar o que aconteceria se houvesse mais pessoas da UCP lá? Ela poderia estar na instalação deles sendo torturada neste momento!

Cupido abaixou a cabeça, envergonhado.

– Sinto muito, Emily. Acho que não pensei no que estava fazendo.

– Não pensou mesmo! – Paelen continuou. – Agora a UCP sabe que estamos aqui!

– Muito bem – Joel disse rapidamente –, já chega. Não precisamos de mais brigas entre nós; já temos problemas demais. O que o agente O. estava fazendo lá? Você viu o agente J.?

Emily fez que não com a cabeça.

– Ele me disse que o agente J. morreu. Devia ter visto como estava nervoso, culpando Pegasus e eu por arruinar sua vida, e disse que foi transferido para cá por nossa causa. Mas agora que voltamos, quando nos capturar, será promovido e poderá voltar a Nova York.

– Parece um pouco conveniente demais para mim – Joel argumentou – ele aparecer aqui na mesma noite que chegamos.

– Talvez eles estivessem esperando pela gente – Paelen falou. – Podem estar usando o pai de Emily como isca em uma armadilha, sabendo que ela apareceria para resgatá-lo, e pode ser que haja muitos agentes por toda esta região.

– Se for isso, o que podemos fazer? – Emily perguntou, começando a andar de um lado para o outro. – Estamos tão perto! Não podemos simplesmente deixá-lo aqui.

– Nós lutaremos – Paelen respondeu de forma simples. – Somos muito mais fortes que esses humanos. E você tem seus poderes, Emily; ninguém pode deter você.

Ela fez que não com a cabeça.

– Não dá! Não tenho controle sobre eles. Você não viu o que fiz com o agente O.? Poderia ter matado o homem...

– Queria que tivesse feito isso mesmo – Joel disse com frieza –, ainda mais depois do que fizeram com a gente na Ilha do Governador.

– O que fizeram com você? – Emily perguntou. – Por que nunca fala sobre isso?

– Porque simplesmente não consigo! – Joel irritou-se. Ele virou-se de costas e abaixou a cabeça. – Ainda os vejo em meus pesadelos, me ouço gritando e implorando para eles pararem. E ainda me lembro da dor...

Emily o abraçou apertado e pôde sentir que ele tremia. Ela tinha sofrido um pouco com o agente J. nas instalações da UCP, mas sabia que Joel e Paelen tinham sofrido muito mais. Os dois haviam sido torturados para revelar informações.

– Sinto muito, Joel.

Ele fungou e olhou para Emily.

– Encare a realidade, Em. Querendo ou não, você vai ter de usar seus poderes para libertar seu pai.

– Eu sei – ela respondeu em um sussurro –, mas tenho tanto medo! E se sair de controle novamente? E se eu machucar você ou então matar meu pai? Não poderia mais viver se fizesse algo assim.

Pegasus chegou perto e descansou a cabeça em seu ombro. Paelen e Cupido também se aproximaram dos dois.

– Não deixaremos isso acontecer – Paelen falou. – Estaremos todos ao seu lado. Emily, você não está sozinha. Vamos trabalhar juntos e, assim, resgataremos seu pai.

6

Emily teve uma noite de pouco descanso. Seu sono foi perturbado por pesadelos terríveis, como o terror de perder o controle de seus poderes e pôr fogo no mundo inteiro. Em um dos sonhos, ela via o pai e Joel pegarem fogo enquanto estava ali parada sem poder deter as chamas. Em outro, era trancafiada em um laboratório subterrâneo pelo agente O. e seus médicos a cutucavam, furavam e faziam experimentos na tentativa de encontrar a fonte de seus poderes.

Por várias vezes, ela acordou ofegante e aterrorizada, pensando que nunca aprenderia a controlar a fera do fogo que foi acordada dentro de si; no fim, aquilo consumiria todas as pessoas com as quais ela se preocupava, deixando-a sozinha e triste.

Na manhã seguinte Emily acordou ao lado de Pegasus. O garanhão estava deitado ao seu lado e com a asa sobre ela para mantê-la aquecida. Emily tinha dormido, mas não descansado. Ela se sentia cansada e à beira das lágrimas.

– Bom dia, Pegasus – ela disse, dando um tapinha na asa do garanhão.

Pegasus esticou a cabeça e lambeu seu rosto. Ela pôde ver a preocupação em seus olhos.

– Estou bem, juro. Só tive uma noite ruim.

– Teve mesmo – Joel concordou e entregou a ela um copo de suco de laranja. – Você choramingou e gemeu. Devem ter sido pesadelos bem ruins. Quer falar sobre isso?

Emily sacudiu a cabeça.

– Acho que não.

Então tome seu suco. Isso deve ajudar você a acordar.

Emily se sentou e olhou em volta, confusa. O fogo estava forte e brilhante; havia sacolas de compras no chão, mas o choque maior foi ver Paelen e Cupido dividindo uma caixa de donuts e vestidos como adolescentes normais. Paelen estava de calça jeans e uma camisa xadrez de lenhador, enquanto Cupido usava um moletom de faculdade extragrande. A parte de baixo de suas asas estava enfiada para dentro de seu jeans largo enquanto a parte de cima ficava coberta pelo moletom. De frente ele parecia um garoto normal de dezessete anos, mas, quando se virou, Emily viu o grande calombo em suas costas. Ele parecia um corcunda. Mas a menos que se soubesse a verdade, ninguém suspeitaria que o que havia ali embaixo eram asas.

Ela se levantou e foi até as sacolas de compras.

– O que aconteceu por aqui?

– Você não foi a única que teve uma noite ruim – Joel respondeu. – Então Paelen e eu saímos antes de amanhecer para checar as instalações da UCP. Na volta, achamos um mercado 24 horas do outro lado da cidade e usamos o nosso prêmio para fazer compras; trouxemos roupas para você também.

Paelen entregou uma sacola a ela.

– Espero que seja do tamanho certo. – Ele olhou para suas próprias roupas e sorriu. – E então, o que achou? Pareço um humano?

Emily estava impressionada demais para falar e sorriu com a ansiedade de Paelen de se misturar aos humanos.

– Você está incrível, Paelen! – Seus olhos foram para Cupido. – Os dois estão ótimos!

Cupido se moveu desconfortavelmente.

– Entendo por que preciso usar este disfarce, mas não é nem um pouco confortável para mim. Não posso me sentar direito sem machucar minhas asas.

– Se não gosta disso, pode voar de volta para o Olimpo – Paelen ofereceu. – Ninguém pediu que viesse junto.

Cupido fez que não com a cabeça.

– Disse que iria ajudar e é o que vou fazer.

– Não, o que você queria era escapar dos Nirads – Paelen o acusou. – Você nos seguiu até aqui para escapar deles lá no Olimpo, e não porque queria nos ajudar a libertar o pai de Emily.

– Está bem – Emily parou a discussão antes que ela se intensificasse –, já chega. – Então olhou para Joel. – Por que foi até as instalações da UCP sem mim?

– Não fique brava, por favor. Ainda estava escuro quando saímos. Não podíamos arriscar ir durante o dia, especialmente agora que eles sabem que você e o Pegasus voltaram. Mas eles não sabem sobre mim e o Paelen, por isso pensamos que poderiam estar esperando que vocês aparecessem lá, e não a gente.

Emily suspirou, percebendo que ele tinha razão.

– O que viram lá?

– Não muita coisa – Joel respondeu. – As instalações ficam bem no fundo da floresta e cercadas de mata densa. Provavelmente é um lugar igual à Ilha do Governador, com a maior parte das instalações subterrânea. Só havia uma pequena construção lá.

O resto é uma grande área de estacionamento com guarita. Há apenas uma estrada que chega lá e tem uma cerca elétrica bem alta protegendo toda a propriedade. Também vimos câmeras por toda parte, algumas viradas para baixo, mas a maioria patrulhando o céu, então parece que estão esperando que a gente chegue voando mesmo.

Paelen tomou a palavra.

– Pedi às sandálias que me levassem ao seu pai, mas elas não conseguiram encontrar um jeito de entrar lá secretamente. Acredito que a UCP descobriu o que posso fazer e selaram todas as pequenas entradas. Há apenas uma entrada principal que é muito bem guardada.

– Com soldados carregando armas bem grandes – Joel acrescentou e baixou a voz. – Me desculpe, Em, mas não acho que conseguiremos chegar até o seu pai. Não sem ajuda, pelo menos.

– Mas Júpiter não nos ajudará! – Emily falou desesperada. – Ainda mais agora que os Nirads voltaram. Ele não liga para o meu pai ou a UCP. Somos nós que temos de tentar libertá-lo.

– Como? – Joel perguntou. – Eles têm armas, Em, e nenhum de nós é à prova de balas, mesmo você sendo o Fogo do Olimpo.

– Temos de pensar – Emily disse calmamente, começando a andar. – Não podemos chegar atacando, pois eles nos deteriam antes de chegarmos a algum lugar. Precisamos bolar um plano.

Eles tomaram o café da manhã e trocaram várias ideias. No fim, foi Pegasus quem finalmente ofereceu a melhor solução possível, sugerindo que capturassem uns dois agentes da UCP e os forçassem a dar informações que os ajudassem no resgate.

– Mas como? – Emily perguntou. – Não podemos ir até lá e pegar dois agentes; assim eles nos prenderão.

– O que mais podemos fazer?

Joel abriu um sorriso.

– Já sei! Vamos até o festival. Aposto que ainda deve ter agentes por lá procurando pistas sobre nós. Que tal irmos até lá e, se houver agentes, capturamos uns dois deles? Depois os trazemos para cá e os fazemos falar onde estão mantendo seu pai. Então pegamos os distintivos e as roupas deles e dirigimos até as instalações como se fôssemos os agentes.

Emily sacudiu a cabeça.

– Só temos um problema: não sabemos dirigir.

– O Joel sabe – Paelen falou. – Ele dirigiu esta manhã quando roubamos um carro para trazer toda a comida.

Emily fez uma careta para Joel.

– Vocês fizeram *o quê* hoje de manhã?

– Roubamos um carro – Joel respondeu constrangido. – Mas foi preciso. O sol estava nascendo e não podíamos arriscar que alguém nos visse voando; além disso, tínhamos de carregar toda a comida.

– E como sabia o que fazer?

– Em – Joel começou –, antes de nos conhecermos eu vivia em um orfanato horrível e costumava ficar muito nervoso e frustrado. Por isso às vezes saía à noite, roubava um carro e dirigia pela cidade por algumas horas até a raiva passar. Foi assim que acabei ficando com ficha na polícia.

– Então você é ladrão de carros? – Emily ficou chocada.

– Não exatamente – Joel respondeu. – Eu não roubava para vender ou desmanchar. Só os dirigia por um tempo e depois voltava quando cansava.

Emily estava surpresa demais para falar.

– Joel, você está dizendo que bem aqui e agora, do lado de fora do local onde estamos nos escondendo da UCP, você estacionou um carro roubado?

Joel assentiu.

– Não temos muito tempo até que Júpiter e os outros venham nos procurar. Precisamos tirar seu pai logo de lá e não podemos ficar esperando até a noite para sairmos. Então, como poderíamos circular por aí durante o dia? Voar está fora de questão, então precisamos de um carro. Além disso, o pegamos em uma loja de carros usados, então não estamos prejudicando ninguém.

Emily olhou para cada um deles e percebeu que Joel tinha razão. Não havia outro jeito de eles andarem por aquela região, mas, com o carro, como é que Pegasus iria junto? Eles precisavam de um trailer para cavalos. Quando questionou os outros, Pegasus foi até ela e a empurrou carinhosamente.

– Pegasus não pode sair durante o dia – Paelen explicou. – É perigoso demais para nós se for visto. Ele pediu que você fique aqui com ele enquanto Joel, Cupido e eu pegamos o carro e capturamos os homens da UCP.

– Não posso ficar aqui enquanto vocês arriscam sua vida! – Emily protestou. – Sem contar que também posso ajudar.

Paelen colocou as mãos em seus ombros.

– Emily, o Pegasus irá aonde você for. Se insistir em vir com a gente, ele não ficará aqui e seguirá você.

Ela olhou nos grandes olhos castanhos do garanhão e viu que Paelen tinha razão. Pegasus a seguiria se ela tentasse ir com eles e, ao fazer isso, estaria se colocando em perigo. Emily acariciou o focinho dele.

– Está bem, Pegs. Nós dois ficamos.

– Então eu devo ficar com você – Cupido se voluntariou.

– Ah, não vai não! – Paelen esbravejou. – Não confio em você. Disse que não era covarde e que nos seguiu até aqui para ajudar, mas só quer ficar perto de Emily para que ela o proteja dos Nirads!

– Você está errado! – Cupido protestou. – Eu a protegerei caso alguém apareça aqui. Além do mais, mesmo vestido assim, não pareço com um humano. Serei um fardo.

– Pegasus estará aqui para cuidar de Emily – Joel falou. – E você não será um fardo, precisamos da sua ajuda, Cupido. Posso ser bem maior, mas você é muito mais forte do que eu. Se quer mesmo ajudar, esta é a sua chance.

– Pegasus e eu estamos seguros aqui. Joel e Paelen precisam mais de você do que eu.

Emily viu o medo surgir nos olhos de Cupido. Ele tinha ouvido sobre a UCP e o que tinham feito com Pegasus, Diana e Paelen. Ela percebeu que Paelen tinha razão: no fundo, Cupido estava com medo.

– Mas talvez ainda haja algumas garotas histéricas por lá.

– Elas já terão ido embora faz tempo – Joel falou. – Vamos voltar pra lá, pegar dois agentes e vir embora. Vai ser fácil, você vai ver.

7

Depois do café da manhã, Paelen, Joel e Cupido saíram, deixando Emily e Pegasus no Red Apple.

Joel dirigiu o carro roubado para fora do estacionamento, com Paelen no banco do passageiro e Cupido no banco de trás reclamando o tempo todo por ter de encostar suas asas e os danos que isso causava às suas penas. Sua agitação estava deixando Paelen enlouquecido.

– Se não ficar quieto – Paelen o alertou virando para trás –, arrancarei todas as suas penas eu mesmo, assim não terá mais do que reclamar!

– Não entendo por que está tão nervoso – Cupido falou. – Não é você que tem de enfiar suas asas na calça! Além disso, está usando as sandálias de Mercúrio e pode voar a hora que quiser, enquanto eu estou confinado nestas roupas desconfortáveis!

– E eu estou confinado com vocês dois! – Joel disparou. – Vocês parecem duas crianças, caramba! Calem a boca e deixem eu me concentrar em dirigir direito para que não sejamos presos neste carro roubado. Cupido, deite de barriga para baixo e não reclame.

– Além de todas as outras indignidades... – Cupido reclamou enquanto se virava e deitava de barriga para baixo.

– Qual é a distância do festival indo de carro? – Paelen perguntou virando-se novamente para a frente.

Eles estavam entrando em uma cidade com uma rua principal, prédios e casas. Como ainda era cedo, as pessoas saíam apressadas para chegar ao trabalho.

– Só alguns quilômetros. Quando meu pai me trazia aqui, ficávamos em um hotel, comíamos no Red Apple e então íamos para o festival. Está tudo nesta mesma área, que se chama Tuxedo.

Paelen ficou em silêncio, apenas observando a paisagem pelo vidro da frente. Estava impressionado com o fato de aquele mundo ser tão diferente do Olimpo. Aqui as pessoas viajavam em carros e sempre pareciam estar com pressa.

Acima deles o céu era cinza e feio, e os primeiros flocos de neve da temporada começavam a cair.

– O que é isso? – Paelen perguntou maravilhado abrindo o vidro e deixando a neve cair em sua mão. – O que é isso caindo do céu?

Joel olhou para ele.

– Nunca viu neve antes?

Paelen sacudiu a cabeça.

– Isso não acontece no Olimpo. Até vir ao seu mundo, nunca tinha saído de lá.

– Bebezão! – Cupido atacou do banco de trás. – Já estive aqui muitas vezes e vi neve pelo mundo todo.

– Não sou criança – Paelen respondeu.

– É muito mais jovem do que eu e do que a maioria dos Olímpicos. Isso faz de você uma criança.

– Quantos anos você tem? – Joel perguntou.

Paelen deu de ombros.

– Não sei. Você morou no Olimpo; por acaso já nos viu medir o tempo?

– Nunca percebi isso – Joel admitiu. – Imagino que não.

– Não mesmo – Cupido continuou. – Não precisamos. Não ficamos correndo por aí como os humanos, tentando preencher cada momento de suas vidas tão curtas com um ou outro tipo de ação. Nós vivemos, amamos e aproveitamos.

– Até os Nirads atacarem – Joel completou. – Vi muita gente correndo por lá.

Paelen ouviu a respiração de Cupido falhar e sabia que ele ficava horrorizado apenas com a menção aos Nirads.

– Isso foi uma exceção – Cupido retrucou. – Apesar de ter certeza de que não há humano neste mundo que não fugiria dos Nirads.

– Eles seriam loucos se não fugissem! – Joel concordou. – Agora fiquem atentos com a polícia, soldados ou alguém da UCP. Já estamos perto do festival.

Os olhos de Paelen escanearam a área à procura de algo que parecesse fora do lugar.

– Tem um monte de policiais a mais por aqui – Joel murmurou enquanto viam dois carros de polícia passar pelo carro deles. – Isso pode ser um problema.

Eles continuaram saindo da cidade e entrando em uma área cercada por árvores, por uma estrada que corria ao lado da propriedade da Floresta Assombrada. Viram a cerca alta, alguns dos brinquedos atrás dela e finalmente a casa mal-assombrada. Durante o dia não havia muita gente do festival por lá, mas eles viram muitos soldados e homens de ternos pretos.

– A UCP – Joel hesitou. – Pegasus tinha razão, eles estão procurando por alguma coisa que explique por que estávamos aqui na noite passada. Acho que podemos conseguir capturar dois dos homens deles.

– Acha que eles esperam que a gente volte? – Paelen perguntou.

Cupido se levantou no banco de trás e olhou pelo vidro da frente.

– Pode ser uma armadilha.

Joel deu de ombros.

– Pode ser. Acho que vou passar algumas vezes pelo estacionamento para ver como estão as coisas por lá. Fiquem atentos a tudo.

Como esperado, o estacionamento estava cheio de carros pretos da UCP e vários caminhões do exército. Atrás de um deles, vários soldados estavam fumando e descansando.

– Bom, não podemos entrar lá. Acho melhor abandonarmos o carro e irmos andando – Joel falou.

– Mas como transportaremos os homens que vamos capturar? – Paelen perguntou.

– Teremos que roubar um carro da UCP – Joel sugeriu. – Precisaremos de um de qualquer forma para irmos até as instalações deles, então já resolvemos mais uma coisa.

– Isso não parece ser um plano muito bom – Cupido reclamou.

– Tem alguma ideia melhor? – Joel o desafiou.

Cupido ficou em silêncio e deitou novamente.

Joel passou pelo festival e virou em uma estrada de terra que subia em direção às montanhas. Estacionou e lá abandonaram o carro.

Enquanto caminhavam pela floresta de volta ao festival, Cupido continuou a reclamar. Finalmente acabou parando e tirando a parte de baixo das asas de dentro do jeans.

– Você não pode mostrar as asas, Cupido! – disse Paelen, já cansado.

– Não mostrarei. Ficarei com a camisa por cima, mas não darei mais nem um passo com as penas raspando em minhas pernas. Assim está bom também, ninguém notará.

Joel franziu as sobrancelhas e olhou para Paelen.

– Ele está brincando?

Paelen desistiu. Não tinha como fazer Cupido ser razoável.

– Está bem, faça como quiser, mas, se tiver problemas, não espere nossa ajuda.

Eles se aproximaram da cerca do festival e a seguiram até chegarem perto da grande área de estacionamento. Então se abaixaram atrás de algumas árvores e estudaram o fluxo de homens que entravam e saíam. Não muito à frente, viram um caminhão aberto que continha equipamentos aparentemente científicos e homens com roupas brancas que pareciam ser trajes espaciais. Eles carregavam contêineres selados, com a palavra "quarentena" impressa nas laterais.

– Será que acham que somos contagiosos? – Joel perguntou. – O que pode ter lá dentro que eles acham que é tão perigoso?

– Não sei – Paelen respondeu. – Deixamos algo para trás ontem à noite?

– Penas – Cupido falou. – As garotas arrancaram várias; talvez eles achem que são perigosas.

– Pode ser – Joel concordou. – Emily também botou fogo no chão; talvez achem que também está contaminado. O que quer que seja, tem um monte de homens aqui, por isso temos de tomar um cuidado extra.

Joel foi à frente, mostrando o caminho, e eles seguiram abaixados. Com cuidado, entraram no estacionamento e o atravessaram até onde a maioria dos carros pretos estava estacionada. Quando se abaixaram atrás de um grande arbusto, Joel deu uma olhadela por cima dele.

– Acho que esses carros são da UCP. Os caminhões verdes daquele lado são para os soldados. É melhor esperarmos aqui até que uns dois agentes apareçam e então seguimos com o plano.

Pequenos flocos de neve acabaram se transformando em uma nevasca, com glandes flocos caindo do céu e se juntando no chão. Não muito depois já havia uma camada de neve cobrindo os veículos. Depois do que pareceu uma eternidade, ouviram o som abafado de vozes se aproximando.

Paelen deu uma olhada e viu três agentes da UCP seguirem conversando em direção aos carros pretos, com as cabeças abaixadas por causa do frio. Quando um deles levantou a cabeça, Paelen engasgou.

– Joel, veja, é o agente T.! Lembra dele lá da Ilha do Governador?

Joel olhou para o agente andando com os dois companheiros.

– Ele era quase tão ruim quanto o agente J. e fazia parte da equipe que me interrogou. Lembro dele sorrindo quando me deram aquelas drogas terríveis.

– O plano era raptar dois agentes – Cupido disse nervoso. – Talvez seja melhor esperarmos que apareçam outros dois.

A raiva surgiu no rosto de Joel.

– Não, tenho contas a acertar. Quero ele! Vamos pegar esses três!

– Concordo! – disse Paelen. – Também gostaria de ter uma "conversa" com o agente T. Sem falar que não sabemos o quanto vai demorar para que apareçam outros agentes, e não quero deixar Emily sozinha por muito tempo. Esta pode ser nossa única oportunidade.

Dois homens andaram para mais perto deles enquanto o agente T. parou perto de um carro para pegar as chaves do bolso.

– Tive uma ideia – disse Paelen. – Cupido, tire o moletom e vá lá chamar a atenção deles. Tente fazer com que o sigam até este lado.

– Eu? – Cupido perguntou com medo. – Por que *eu* tenho de fazer isso?

– Porque o agente T. conhece Joel e eu e daria o alarme. Além disso, suas asas podem criar uma distração – Paelen explicou. – Mostre-as e, quando os homens estiverem distraídos, Joel e eu entraremos em ação.

– Essa não é uma boa ideia – Cupido reclamou enquanto tirava o moletom e seguia em direção aos homens. Paelen e Joel se esgueiraram e tomaram posição ao lado de um carro preto.

– Com licença – disse Cupido tranquilamente enquanto se aproximava. – Desculpe, mas estou perdido. Poderiam me dizer onde estou, por favor?

– E vai ficar ainda mais perdido se não sair daqui, garoto! – um dos agentes retrucou. – Isso é assunto do governo; vai saindo daqui!

Paelen viu o agente T. se afastar do carro para ver o que estava acontecendo.

– Veja, está funcionando! – ele sussurrou. – Prepare-se.

– Por favor – Cupido continuou –, não precisa ser rude. Estava apenas voando por aqui e me perdi no meio da tempestade. Se puder me dizer para que lado fica o Olimpo, ficarei feliz em partir.

– Olimpo? – o agente T. repetiu desconfiado. – Você disse *Olimpo*?

Foi só naquele momento que um dos agentes notou suas asas.

– Ai, meu... – Ele não terminou a frase, pois Cupido o acertou com um direto poderoso.

Paelen e Joel surgiram e derrubaram o agente T. e um outro no chão. Joel descontou toda sua raiva contra o agente T., por tudo o que tinha passado na Ilha do Governador. Pouco tempo depois, os três homens da UCP estavam inconscientes.

Joel ofegava bastante quando levantou a cabeça e olhou em volta. Com a neve pesada que caía, ninguém viu ou ouviu nada.

– Me passa as chaves dele – Joel pediu a Cupido. – Vamos entrar no carro e sair logo daqui!

8

No Red Apple, Emily caminhava pelo confinamento da área de jantar se sentindo um animal engaiolado. Parecia que fazia séculos que eles tinham partido e havia muitas coisas que poderiam dar errado. Ela temia que a polícia tivesse visto o carro roubado e os parado no caminho. E se tivessem sido presos? Estariam agora em uma cela? Ou talvez a UCP os tivesse capturado na Floresta Assombrada e os levado para suas instalações.

– Eles estão demorando muito para voltar! – disse ela enquanto ia até Pegasus e acariciava seu focinho macio. – Algo aconteceu. Devíamos estar com eles.

Seu pânico aumentava com o passar das horas e, em determinado momento, Emily se sentiu pronta para sair de dentro de seu próprio corpo. Foi quando finalmente ouviu a porta dos fundos se abrindo lá na cozinha.

– Eles voltaram! – Emily correu em direção à cozinha esperando ver Paelen, Joel e Cupido, mas em vez disso ficou cara a cara com um estranho que segurava uma lanterna em uma mão trêmula e uma arma na outra. Ela gritou e, no mesmo instante, o dedo do homem completamente surpreendido apertou o gatilho e disparou.

A bala acertou Emily bem no peito e ela voou para trás e caiu no chão. Era como se tivesse sido atingida por um taco de beisebol. Seu peito pegava fogo e o sangue corria pelos ouvidos. Ela ouviu o relinchar furioso de Pegasus enquanto atacava o homem e depois seus gritos aterrorizados por ter de enfrentar aquele garanhão furioso.

Emily sabia que tinha levado um tiro e, mesmo enquanto imaginava o que aconteceria ao seu pai sem ela por perto, sentia o metal da bala se aquecendo. Tinha a sensação de estar derretendo enquanto o grande ferimento se cauterizava e fechava. Na escuridão da área da cozinha, pôde ver um brilho em seu peito que ia aumentando. Suas mãos checaram o ferimento e sentiram a roupa molhada pelo sangue, mas ao cutucar com o dedo o local em que o buraco da bala deveria estar, não conseguiu encontrar nenhum traço de ferimento. Sob a ponta do dedo ela sentiu a pele normal e macia.

Emily se sentou devagar. Ela levantou a cabeça e viu o homem se escondendo em um canto, ainda segurando a lanterna, mas a arma tinha sumido. Pegasus estava diante dele com as asas abertas e as narinas dilatadas, encarando-o furiosamente.

– Acalme-se, Pegs, estou bem – disse ela ficando em pé. Emily estava um pouco tonta e se sentia estranha, mas sem nenhuma dor. – Só estou um pouco abalada.

Ela foi até a porta aberta e a fechou.

– Quem é você? – perguntou ao homem aterrorizado. – O que faz aqui?

– S-sou o dono – ele gaguejou com medo. Sua lanterna iluminava a blusa cheia de sangue de Emily e seus olhos aterrorizados a observavam como se tivessem visto um fantasma.

– Vi uma fumaça saindo daqui e pensei que o lugar tinha sido invadido por vândalos novamente. Não me mate, por favor!

– Matar você? – Emily perguntou. – É você que tem uma arma e que atirou em mim!

– M-me desculpe, foi um acidente! Você apareceu tão rápido que me assustei e meu dedo escorregou!

Pegasus raspou o casco no chão e relinchou furioso. Depois, foi para a frente e ficou ainda mais perto do homem, que estava petrificado.

– O que é esta coisa? – ele gritou aterrorizado.

– O Pegasus não é uma coisa! – Emily disse irritada. – Ele é ele, ora!

– Pegasus? – O homem repetiu. – O cavalo alado da mitologia grega?

– Ele também não é um cavalo! – Emily disse indo até o garanhão e dando-lhe um tapinha no pescoço. – Está tudo bem, Pegs. Tenho certeza de que foi um acidente. Ele não queria me machucar, não é mesmo? É melhor dizer a verdade ao Pegasus. Ele sabe quando as pessoas estão mentindo.

– Eu juro. Foi um acidente.

Emily se sentiu muito cansada e precisando se sentar.

– Saia daí e venha até a área de cadeiras onde posso vê-lo melhor. Qual é o seu nome?

– Earl – o homem, aterrorizado, disse dando a volta em Pegasus com cuidado e não tirando os olhos dele.

– Sente-se aqui – disse Emily com a voz cansada. – Não faça nenhum movimento repentino e nem tente fugir.

Earl se sentou perto do fogo ainda olhando para Emily como se ela fosse uma aparição.

– O que você é? – perguntou timidamente.

– Você não vai querer saber. Mas posso dizer o seguinte: estamos aqui por uma boa causa e precisamos ficar escondidos por um tempo; então, por favor, não tente fugir. Não quero feri-lo, mas se tentar algo, terei de fazer isso.

Emily se sentia mal por ameaçar o homem, mas não podia deixá-lo escapar e chamar a polícia. Para ilustrar o que tinha dito, ficou em pé em frente ao fogo, chamou suas chamas e elas saíram brilhantes das pontas de seus dedos, indo até a madeira que já queimava.

– Posso fazer isso mais rápido do que você pode correr, então se ajeite e relaxe. Quando terminarmos poderá ir embora sem nenhum arranhão.

Os olhos de Earl se arregalaram aterrorizados ao se moverem do fogo para Emily.

– Estamos entendidos? – ela perguntou séria.

O homem assentiu. Emily deu um tapinha em Pegasus.

– Pode ficar de olho nele para mim? Não estou me sentindo bem e acho que preciso me sentar um pouco.

Enquanto ela se sentava, Pegasus ficou parado ao seu lado de forma protetora, sem tirar os olhos bravos de Earl. Ele ainda bufava e furiosamente raspava o chão com a pata. Emily tinha certeza de que, se Earl tentasse se mover, Pegasus não hesitaria em atacá-lo. Ela respirou fundo e tentou relaxar. Estava mais cansada do que jamais estivera na vida e não conseguia manter os olhos abertos por nem mais um segundo. Não muito tempo depois, ela caiu em um profundo sono restaurador.

9

– Emily!

Emily acordou com Joel sacudindo seus braços.

– Em, acorde, por favor!

– Estou acordada – respondeu ainda meio grogue. – Pare de gritar, por favor!

O rosto preocupado de Joel surgiu acima dela, com Paelen ao seu lado e Pegasus atrás olhando para ela.

– Você está bem? – Paelen perguntou. – Pegasus nos contou o que aconteceu.

– Foi um acidente – Emily murmurou, agora já totalmente acordada. – Nos assustamos na cozinha e a arma acabou disparando.

– Mas você está ferida – disse Joel, inspecionando a camiseta dela. – Veja todo esse sangue. Temos de levá-la a um hospital!

Emily fez que não com a cabeça.

– Está tudo bem. Não sei como, mas a bala derreteu e o ferimento se fechou sozinho. Estou ótima.

– Como? – Joel argumentou. – Você levou um tiro, Em!

– Ela é o Fogo do Olimpo – Cupido explicou. Ele estava em pé em frente aos prisioneiros inconscientes. – Ela pode se curar tão rapidamente quanto cura os outros.

– Certo, mas um tiro no peito deveria tê-la matado! – Joel falou.

– Se ela fosse humana, teria mesmo – Cupido continuou. Então se aproximou de Emily, se ajoelhou e fez um carinho em sua bochecha. – Emily, a parte humana que havia em você morreu no fogo lá no Olimpo. Sua outra vida acabou naquele dia. Você é a Chama e não pode mais ser morta.

Emily ficou em pé.

– Não pode ser! Admito que aconteceu algo estranho comigo naquele Templo, mas ainda sou eu mesma. Ainda sou humana.

Pegasus se aproximou deles e relinchou suavemente enquanto Cupido sacudia a cabeça gentilmente.

– Não é não. Sei que tem sido uma transição difícil para você, mas, acredite, você não é humana. Você é o Fogo do Olimpo. A Emily humana morreu no Templo naquele dia.

– Isso é impossível! – ela argumentou e se virou desesperadamente para Pegasus. – Eu me sinto igual. Ainda tenho frio e fome. E me machuco. Sou humana e estou viva!

O garanhão chegou mais perto e encostou a cabeça gentilmente nela; depois relinchou suavemente.

– É claro que está viva – Paelen garantiu a ela. – Você renasceu nas chamas. E sente dor como todos nós sentimos. Mas o frio você só sentiu porque achou que devia sentir. Seu corpo agora é Olímpico, mas na sua cabeça você ainda pensa que é humana. É por isso que não consegue controlar seus poderes. Você não *acredita* que pode controlá-los.

– Mas continuo me sentindo a mesma! – Emily insistiu. – O que devo dizer ao meu pai? Que sou um ser bizarro, igual ao que o agente O. disse que eu era? – Ela tentava lutar contra a verdade e seus olhos se encheram de lágrimas.

– Não chore, Emily! – Joel a alertou. – Suas lágrimas... lembre-se do que aconteceu no anfiteatro! Você pode nos explodir aqui.

Emily entrou em pânico, temendo o que podia acontecer se suas lágrimas caíssem. Então botou a mão no bolso do jeans, pegou o belo lenço que Netuno havia lhe dado, levou-o até os olhos e secou as lágrimas gentilmente.

– Não posso nem chorar – ela reclamou e olhou para o lenço. Suas lágrimas estavam sobre ele, como água em um papel encerado, mas enquanto olhava, um bolso secreto se abriu e as lágrimas entraram nele. Logo parecia que nem tinham tocado a superfície do lenço. Ela olhou para Pegasus.

– O que faço com isso agora?

O garanhão relinchou baixo.

– Ele disse que suas lágrimas foram coletadas pelas tranças das sereias – Paelen traduziu. – Elas não desapareceram e nem foram neutralizadas. Se precisar delas é só chamá-las de volta. E também disse que deve manter isso sempre com você.

– Para que ela precisaria das lágrimas? – Joel perguntou. – São como armas nucleares; seria melhor que fossem destruídas!

– Elas não podem ser destruídas – Paelen falou.

Um gemido repentino de um dos agentes da UCP lembrou Emily do porquê de eles estarem ali.

– Desculpem – disse ela sacudindo a cabeça e fungando uma última vez. – Estava pensando só em mim. – Então caminhou até os três homens inconscientes no chão. O agente T. estava começando a se virar.

– Não deveríamos amarrá-los ou algo assim? Achei que íamos pegar apenas dois agentes, não?

– Não tivemos escolha – Joel falou. – O lugar estava lotado de agentes e tivemos sorte de pegar estes aqui.

– Não precisamos amarrá-los – Paelen acrescentou. – Somos mais fortes e rápidos que eles. Tentar fugir seria um erro fatal.

Enquanto ela observava os homens, Earl também se aproximou.

– Não me mate, mas preciso dizer algo. Vocês ficaram loucos, garotos? Trazer agentes da UCP aqui quando vocês são exatamente o tipo de coisa que eles procuram?

– Você conhece a UCP? – Emily perguntou.

Earl fez que sim.

– Conheço e não gosto deles. Alguns anos atrás, um bando de gente do governo se mudou para esta região. Logo havia várias conversas malucas sobre alienígenas e outras criaturas... – Os olhos dele foram até Cupido, que tinha tirado o moletom para ficar mais confortável, expondo assim suas asas. Depois olhou para Pegasus. – Também sei que qualquer um que vai até a propriedade deles desaparece e nunca mais é visto.

– É bem a cara da UCP mesmo – Joel falou. – O que sabe sobre as instalações deles aqui?

Earl deu de ombros.

– Nada, e espero continuar assim. Eles contrataram um monte de trabalhadores locais para construir suas casamatas subterrâneas. Alguns dizem que o lugar é como se fosse uma enorme fortaleza escondida. O irmão do meu melhor amigo é um dos eletricistas que trabalharam lá e nos falou de todos os tipos de coisas bizarras que são entregues ali. Meses atrás, estávamos em um bar e, como ele estava bêbado como um gambá, começou a contar uma história de como eles trazem alienígenas cinzas e enormes de quatro braços para cá. Não demorou muito para ele desaparecer. Tentamos encontrá-lo, mas alguns agentes apareceram e disseram que seria melhor para todos se ficássemos quietos. Não muito tempo depois, este lugar foi condenado e fecharam meu negócio. Sei que foi coisa deles, um aviso para nós.

– Nirads? – Cupido perguntou com medo. – Está falando dos Nirads?

Joel estalou os dedos.

– Aposto que são os mesmos que estavam na Ilha do Governador. Mas como podem tê-los capturado? As balas não os detêm. – Ele olhou para Paelen. – Tranquilizantes não conseguiram parar você, Diana e Pegasus, então aposto que também não funcionam com os Nirads.

– Estão dizendo que essas coisas existem de verdade? – Earl perguntou atemorizado. – Que não eram apenas histórias dele?

Emily assentiu.

– Sim, eles são muito reais, mas não são alienígenas. Eles estavam tentando matar o Pegasus.

– E você – Paelen acrescentou.

– Eles feriram a minha perna – Emily explicou. – E agora a UCP está mantendo meu pai na mesma instalação em que estão os Nirads.

– A UCP está com seu pai? – Earl perguntou. – É por isso que estão aqui?

Emily fez que sim com a cabeça.

– De onde vocês são? – ele quis saber.

– Quanto menos você souber, mais seguro estará – Joel alertou.

– Infelizmente acho que não – Earl respondeu. – No momento que descobrirem que conversei com vocês, eu já era!

– Ele tem razão – Emily falou. – A UCP o matará se descobrirem que ele esteve aqui com a gente.

– Acredito que eles já saibam disso – Paelen apontava para o agente T., que estava se levantando.

O homem da UCP ficou em pé e olhou em volta. Quando seus olhos pararam em Pegasus, ele respirou fundo.

– Então é verdade. Vocês voltaram.

Emily olhou para o agente com seu terno preto, cabelo perfeitamente penteado com gel e olhos azuis intensos. Ele era alto, magro e cruel, e ela sentiu sua fúria surgir instantaneamente, pois se lembrava de tudo o que tinha acontecido na Ilha do Governador. O agente T. tinha ficado na sala com Pegasus, que estava ferido, enquanto os agentes J. e O. a interrogavam.

– Sim, voltamos – ela falou. – Estamos aqui por causa do meu pai e você vai nos ajudar a tirá-lo de lá!

– Está muito enganada, mocinha – disse ele com tranquilidade. – Vocês vão se render e vamos todos voltar para as nossas instalações.

Joel deu um passo à frente.

– Lembra de mim, agente T.? Pois eu me lembro muito bem de você! A única coisa que o mantém vivo até agora é o que pode nos dizer. Olhe em volta. Caso não tenha notado, estão em menor número e pegamos suas armas e seus telefones. E tenho certeza de que se lembra do quanto os Olímpicos são fortes. Por acaso quer deixá-los bravos? – Joel apontou para Paelen, Cupido e finalmente Pegasus. – Emily e eu também mudamos. Mostre o que pode fazer, Em.

Emily não hesitou. A conversa com aquele agente arrogante trouxe de volta todas as memórias terríveis da Ilha do Governador. Ela olhou para o fogo, levantou as mãos e soltou as chamas, que saíram grandes e mal foram contidas ao brilharem e transformarem a madeira do fogo em cinzas.

Quando olhou novamente para o agente T., viu um pouco de medo surgir em seus olhos, mas a arrogância logo retornou.

– Pelo que o agente O. me contou, você não consegue controlar o poder.

– Posso controlar o suficiente – Emily alertou. – Então é melhor dizer onde está meu pai antes que eu perca a paciência.

– Não vou não – ele respondeu. – Somos treinados para aguentar tortura, por isso não há nada que possa fazer conosco para que falemos algo. Pode tentar o que quiser; nenhum de nós falará nada.

– É isso mesmo – o segundo agente concordou enquanto ele e o outro se levantavam e ficavam em pé desafiadoramente ao lado do agente T. – Rendam-se agora ou as coisas ficarão muito feias para vocês.

Ninguém esperava aquela tomada de posição. Os agentes da UCP não demonstravam nenhum sinal de medo enquanto encaravam os poderosos Olímpicos.

– O que faremos? – Joel murmurou.

– Bom, não podemos esperar nada razoável deles – Emily sussurrou de volta. – Olha só, eles não ligam para o que podemos fazer com eles. – Ela começou a andar por ali. Eles já tinham ido tão longe, mas parecia que tudo conspirava contra. Parecia não haver nenhum jeito de libertar seu pai.

– Eu sei o que podemos fazer. – Paelen apontou para Cupido. – Ele pode fazê-los falar.

Os olhos de Cupido se arregalaram e ele deu um passo para trás.

– Não, não farei isso.

– Fazer o quê? – Emily perguntou.

– Ele pode fazer os agentes falarem sem usar a força – Paelen continuou. – Só precisa usar seus poderes.

– Que poderes? – Joel quis saber.

– Os poderes do amor. Ninguém consegue resistir ao Cupido quando ele os aciona. – Paelen apontou para os agentes. – Nem mesmo eles.

– O que quer que estejam planejando, podem esquecer – disse o agente T. – Entreguem-se agora e ninguém vai se machucar. – Ele olhou para seus homens e pegou um pedaço grande de madeira da fogueira. – Agora!

Os três agentes lançaram um ataque violento contra os Olímpicos. Antes que alguém pudesse reagir, o agente T. acertou Joel atrás da cabeça e, quando ele caiu inconsciente no chão, virou-se para Paelen.

Uma grande luta tomou conta do restaurante. Pegasus, Cupido e Paelen tinham a força do lado deles, mas os agentes eram bem treinados em combate e bloqueavam a maioria dos socos desferidos contra eles. Apesar de estarem em desvantagem, estavam conseguindo equilibrar a luta contra os poderosos Olímpicos.

Emily se abaixou, foi até Joel e ficou vendo a luta dali. Earl recebeu um chute potente do agente T., que o nocauteou enquanto os outros dois agentes atacavam Paelen.

Ela podia sentir seus poderes aumentando e querendo sair, e precisava de toda sua força e concentração apenas para segurá-los. Emily não podia arriscar liberá-los e acertar seus amigos, então decidiu que usaria seus poderes apenas como último recurso.

Pegasus se apoiou nas pernas traseiras e chutou um dos agente que atacavam Paelen, mas o homem foi rápido e se abaixou para desviar do casco mortífero. Depois, ele rolou rapidamente, se afastou do garanhão e voltou a atacar Paelen. A luta se intensificou e então Cupido recebeu um golpe do pedaço de madeira do agente T. A força da pancada o lançou através do restaurante e ele caiu sobre suas asas.

– Cupido! – Emily gritou.

Cupido se levantou com o rosto vermelho de fúria. Suas asas se abriram e ele uivou enraivecido. Levantando as mãos no ar, apontou para os agentes e foi em direção a eles.

– Parem! – ele falou. – Ordeno que parem agora!

Como se tivessem sido congelados de repente, os agentes pararam de lutar e ficaram completamente imóveis. O pedaço de madeira que estava nas mãos levantadas do agente T. caiu fazendo barulho. Eles permaneceram parados, olhando para Cupido com os olhos arregalados, a boca aberta e com os braços caindo inertes para os lados do corpo; era claro que estavam completamente sob o controle dele.

– Vamos, Cupido, acabe com isso logo – Paelen disse com a voz rouca, enquanto se levantava e se limpava. – Use seus poderes para fazê-los falar.

Cupido fez que não com a cabeça.

– Não farei isso. Mamãe sempre encantava os homens e eu, as mulheres. Não desejo fazer mais nada com esses agentes.

As garotas gritando! A própria atração dela por ele. De repente tudo fazia sentido para Emily. Ela tinha sentido Cupido acionar seu charme antes, mas nunca percebera que aquele era um poder que ele controlava; achou que fosse apenas a sua boa aparência.

– Quer dizer que pode encantá-los para que falem?

Cupido assentiu meio relutante.

Quando Joel começou a se mover e acordar, Emily o ajudou a ficar em pé e depois se virou novamente para Cupido.

– Você precisa fazer isso, por favor! Se não fizer, eles não falarão. Precisamos de informações sobre meu pai e de como estão controlando os Nirads. Eu imploro, Cupido, por favor, nos ajude!

Cupido sacudiu a cabeça.

– Você não entende, Fogo. Uma vez eu que fizer isso, eles vão me amar para sempre. Não dá para voltar atrás e nem reverter o que for feito.

– Mas não temos escolha! – Emily pressionou. – É a única forma de salvarmos meu pai!

Cupido hesitou e então finalmente suspirou e abraçou Emily. Ele a envolveu com suas asas e sussurrou em seu ouvido:

– Farei isso apenas por você, Emily, por mais ninguém. Não porque é o Fogo e pode me comandar, mas porque escolho fazer isso por você.

O rosto de Emily ficou vermelho e ela sentiu seu coração bater mais forte enquanto Cupido a abraçava.

– Obrigada.

– Já chega! – disse Paelen, rudemente separando os dois. – Guarde seu charme para os agentes, Cupido!

Todos se afastaram do Olímpico alado enquanto ele encarava os homens hipnotizados. Cupido não disse nada, mas suas asas flutuavam levemente por causa de seu aborrecimento.

Earl acordou e, apesar da dor de cabeça, não estava ferido. Parado entre Emily e Joel, ele deu um tapinha no ombro da garota.

– Esse cara é o verdadeiro Cupido? Quero dizer, aquele com o arco que atira as flechas de amor nas pessoas e tal?

Emily assentiu.

– Mas não tenho certeza a respeito do arco. Nunca o vi segurando um.

Earl assobiou suavemente.

– Sempre vi fotos dele como um anjinho gordinho, um bebê de asas, mas nunca como um adolescente.

Joel olhou para Earl.

– É incrível quando você está no Olimpo e vê o quanto estamos enganados sobre as coisas.

Todos os olhares se concentraram em Cupido, que estava parado em frente aos homens. De cabeça abaixada, suas asas desceram em direção aos braços relaxados. Sua linguagem corporal mostrava o quanto não queria fazer aquilo, mas finalmente levantou a cabeça e encarou os agentes.

Emily observou o rosto dos homens enquanto Cupido liberava seus poderes. A princípio, eles o encaravam com um olhar vazio, logo sendo substituído por uma expressão de reverência que acabou se transformando em amor indisfarçável.

– Está funcionando! – Joel falou. – Olhe para eles. Farão tudo por Cupido.

– Ele pode ser um covarde e criador de casos, mas tem sua utilidade – disse Paelen, dando um cutucão em Joel com o cotovelo. – Pode imaginar o que conseguiríamos com um poder desses?

Joel riu e depois estremeceu com a pontada na cabeça.

– Posso pensar em uma coisa ou outra.

Cupido fechou as asas e se virou para o grupo.

– Pode perguntar o que quiser agora – disse suavemente. – Eles responderão.

Emily foi a primeira a ir em frente, posicionando-se ao lado de Cupido e encarando o agente T.

– Onde está o meu pai?

O agente T. olhou para Cupido e sorriu tolamente.

– Responda – Cupido ordenou.

Sem hesitar, o agente começou a falar.

– Ele está na nossa instalação na floresta. Nós o mantemos no décimo andar subterrâneo.

Durante uma hora os agentes responderam alegremente todas as perguntas que foram feitas, dando a localização exata e as condições do pai de Emily. Também explicaram tudo o que sabiam sobre os Nirads que estavam presos lá e, então, contaram como poderiam entrar nas instalações subterrâneas sem que fossem vistos. Quando o interrogatório acabou, Cupido ordenou que os homens se sentassem e permanecessem em silêncio. Eles obedeceram o Olímpico alado como cachorrinhos ansiosos por agradar o dono.

– Vinte e um Nirads – Paelen falou. – Nunca imaginei que pudesse haver tantos neste mundo.

– Ainda não entendo o que aconteceu – Emily falou. – Por que se renderiam e ficariam dóceis? Vinte e um deles poderiam destruir facilmente aquelas instalações e ir para onde quisessem.

Paelen deu de ombros.

– Talvez quando falharam em matar Pegasus e você, não sobrou nada pelo que lutarem e então se renderam.

Joel sacudiu a cabeça.

– Não acredito nisso. Você os viu; eles eram como selvagens descontrolados. Não acredito que poderiam se render, isso requereria algum tipo de pensamento. Mas os Nirads que vimos não demonstravam nenhum sinal de inteligência, apenas instintos animais e reações.

– Bom, o que quer que seja – Emily falou –, espero que continuem assim. Só quero tirar meu pai de lá e voltar ao Olimpo.

10

Emily ajudou Cupido a vestir um dos paletós pretos dos agentes por cima das asas e depois um pesado sobretudo de lã.

– Não entendo por que tenho de me vestir como se fosse um deles – Cupido reclamou enquanto lutava com a gravata em seu pescoço.

– Quantas vezes precisaremos explicar a você? – disse Paelen cansado, enquanto se vestia com as roupas de outro agente. – Você tem asas e precisamos escondê-las. E tive de tirar minhas sandálias e vestir estes sapatos muito desconfortáveis, e você não está me ouvindo reclamar!

Joel estava fechando os botões da camisa e vestindo seu paletó.

– Será que os dois podem parar de reclamar? Estão fazendo minha dor de cabeça piorar! – Ele se dirigiu a Cupido e explicou a ele. – Temos de nos parecer com agentes da UCP. Eles usam camisas brancas, ternos pretos e sobretudos pretos, então nos vestimos com camisas brancas, ternos pretos e sobretudos pretos. Simples assim.

– Mas e ele? – Cupido apontava para o agente T. Ele agora usava o jeans de Joel e a camisa xadrez e não tirava seus olhos amorosos do Olímpico alado.

– Vamos levá-lo conosco porque ele tem uma identificação válida. Vai usar o sobretudo longo e não acho que irá nos causar problemas.

Enquanto Cupido continuou a reclamar, Pegasus relinchou alto e bateu no chão com seu casco dourado. Emily e Joel olharam para Paelen, mas ele não traduziu. Entretanto, a expressão no rosto de Cupido era suficiente para mostrar que Pegasus tinha perdido a paciência com ele.

– Muito bem – Joel falou para Emily –, você sabe qual é o plano. Vamos entrar lá, o agente T. nos levará até o seu pai e então sairemos rapidamente. Adoraria aproveitar e destruir o lugar, mas não podemos. Com sorte, estaremos de volta em algumas horas.

– Queria muito ir com vocês – disse ela enquanto acariciava o pescoço forte de Pegasus.

– Eu também – Joel concordou. – Seu truque com o fogo poderia ajudar, mas tenho certeza de que estão esperando por você e pelo Pegasus. Apenas fique preparada para partir no momento em que voltarmos.

Emily esticou as mãos e o abraçou.

– Obrigado por fazer isso, Joel. Significa muito para mim.

Joel enrubesceu.

– Emily, você e seu pai são a única família que tenho e, assim como você, não quero vê-lo preso lá. Deixe a porta trancada e reze por nós.

– Pode deixar – Emily prometeu enquanto via Joel acariciar o focinho do garanhão.

– E cuide bem do Pegasus.

Cupido foi até os outros dois agentes, que olharam ansiosos para ele, gratos por receberem sua atenção.

– Vocês dois ficarão aqui e farão tudo o que Emily disser, além de protegê-la com suas próprias vidas. Se falharem com ela, estarão falhando comigo, e ficarei muito insatisfeito. Vocês entenderam?

Os dois agentes fizeram que sim com a cabeça e sorriram como bobos para Cupido. O encantamento funcionou bem. Os pobres agentes pareciam querer apenas servi-lo agora, mas o que aconteceria com eles quando tudo isso terminasse?

– Tomem cuidado – Emily desejou pela centésima vez. – E não façam nada estúpido que ponha suas vidas em risco, por favor.

Paelen deu aquele seu sorriso malicioso e beijou sua bochecha.

– Tomaremos cuidado – ele falou –, mas você também precisa fazer o mesmo. Não atenda a porta a menos que veja que somos nós. Não vamos aguentar se for ferida novamente.

– Não serei ferida – Emily prometeu.

Cupido estava lindo com o sobretudo e os cabelos louros ondulados; mais uma vez, sentiu seu coração bater mais forte.

– Tome cuidado, Cupido – disse ela docemente.

– Tomarei – ele prometeu e se abaixou para beijar delicadamente os seus lábios. – E você também. Espere por mim, Fogo. Voltarei logo.

Emily mal conseguia respirar quando Cupido se afastou.

– Vamos, namorador – disse Joel puxando Cupido pelo casaco. – Já chega; vamos embora.

Assim que eles saíram, Emily trancou a porta.

– Devíamos estar indo junto, Pegs. Não é justo que eles arrisquem a vida pelo meu pai enquanto ficamos aqui sentados e como babás de dois agentes da UCP.

Pegasus relinchou suavemente, colocou a cabeça no ombro de Emily e a puxou para perto.

Os dois ouviram um movimento na cozinha e viram Earl ali parado.

– Você está bem?

Emily fez que sim com a cabeça.

– Estou bem, é que fico muito preocupada com eles e gostaria de poder ir junto.

– Tenho certeza de que vai dar tudo certo – ele falou. – Aqueles garotos gostam muito de você e aposto que farão o melhor que puderem.

– Obrigada, Earl – Emily foi em direção à porta e abriu a trava. – Não é justo mantê-lo aqui por mais tempo, então pode ir. Apenas prometa que não vai contar a ninguém o que viu aqui, por favor.

– Bom, agora você sabe que não direi uma palavra – disse ele enquanto movia os pés –, mas, se não se importar, acho que gostaria de ficar um pouco mais e fazer companhia a você.

Emily franziu a testa.

– Por que iria querer fazer isso quando pode ficar livre?

– Para falar a verdade, quero ver aqueles garotos detonarem a UCP e trazerem seu pai de volta. Sugiro que nos sentemos e esperemos pelas boas-novas.

11

O agente T. foi dirigindo e, passando por Tuxedo, levou Paelen, Joel e Cupido à base secreta da agência governamental, que ficava na floresta. A neve que tinha começado a cair naquela manhã ainda persistia e, no fim da tarde, vários centímetros já cobriam o chão. Andar de carro era algo perigoso e dolorosamente lento.

Paelen estava no banco da frente, e Joel e Cupido atrás. Enquanto rodavam pela estrada vazia que levava à instalação, Paelen se virou para Joel e viu rugas de preocupação no rosto do amigo. Cupido também parecia estar muito preocupado com aquele resgate. Eles realmente planejavam chegar ao décimo andar do prédio subterrâneo da UCP, mas as chances de algo dar errado eram astronômicas.

– Estamos chegando ao portão – o agente T. anunciou.

– Ótimo – disse Cupido. – Quero que fale tudo o que precisar para garantir que a gente entre.

– Faço tudo por você – disse o agente T., virando-se para Cupido com um sorriso bobo.

– E pare de sorrir para mim! – Cupido esbravejou. – Lembre-se de como era antes.

O sorriso desapareceu e ele assentiu com a cabeça, mas piscou para Cupido antes de olhar para a frente de novo.

Paelen riu e depois piscou e beijou o ar.

– Faço tudo por você... – provocou.

Cupido inclinou-se para a frente, segurou os cabelos de Paelen e puxou sua cabeça para trás.

– Se você *pensar* em contar a alguém o que fiz neste mundo, juro que mandarei a Hidra atrás de você!

– Podem ir parando, vocês dois! – Joel advertiu. – Solte ele, Cupido. Primeiro vamos resolver isso de uma vez e depois vocês podem terminar essa briguinha.

– Que briga? – Paelen perguntou inocentemente.

Próximos à guarita, um portão pesado de tela de aço bloqueava o caminho. Havia câmeras por todos os lados, algumas apontadas para eles e outras vigiando o céu. Aquele seria o primeiro grande obstáculo.

O carro parou ao lado de uma pequena janela na guarita. Dentro dela estava um homem gordo, com cara de poucos amigos e que segurava sobre o ombro uma arma maior que ele. Quando viu o agente T. ao volante, cumprimentou-o com um aceno de cabeça, mas, antes que pudessem seguir em frente, seus olhos notaram os outros ocupantes do carro.

Com o dedo no gatilho da arma, ele abriu a porta da guarita e caminhou em direção ao carro.

– Identificações – ele exigiu.

Eles estavam preparados para aquilo. Paelen e Joel mostraram seus distintivos, que eram dos outros agentes, e rezaram em silêncio para que o guarda não examinasse as fotos de perto, pois não eram nem um pouco parecidos com os homens.

Mas o guarda percebeu a diferença, ficou desconfiado e então se endireitou e apontou a arma. Embora relutante, Cupido usou novamente seus poderes. Paelen e Joel viram a mesma reação de antes surgir no rosto do guarda: primeiro desconfiança, depois reverência e então adoração.

– Me agradaria bastante se nos deixasse entrar – Cupido disse com firmeza, por entre os dentes cerrados.

– É claro! – o enorme guarda disse docemente. – Tudo o que quiser! – Ele voltou para a guarita e liberou o acesso. Assim que o carro se moveu pela neve, viram que o guarda mandava beijos para Cupido.

– Que lindo! – Paelen ria.

Joel bem que tentou, mas também não conseguiu conter o riso.

– Estou avisando, Paelen! – Cupido dizia furioso. – Se disser uma palavra disso lá no Olimpo, uma palavra sequer, vou pegar sua cabeça...

Eles ficaram em silêncio o restante do caminho. Todos pareciam entender o perigo que estavam para enfrentar, e, por isso, ninguém mais riu. O agente T. levou o carro a um estacionamento ao lado da única construção.

– Aqui estamos – Joel disse saindo do carro e encarando aquela pequena casa de tijolos vermelhos.

Paelen olhou em volta e notou o quanto aquela área era calma e silenciosa; o grande cobertor de neve parecia silenciar até mesmo os pássaros.

– Aqui é sempre silencioso assim? – ele perguntou ao agente.

– É a neve – o agente T. respondeu. – Ninguém gosta de sair com esse tempo; todos ficam lá dentro.

– E sabe o que tem de fazer? – Cupido perguntou.

– Sei! Se é o que o agrada, levarei todos vocês até a presença de Steve Jacobs.

Cupido caminhou ao lado do agente enquanto Paelen e Joel seguiam logo atrás. Joel tentou ficar exatamente atrás de Cupido, para ajudar a esconder a corcunda que se formava por causa das asas.

Na entrada da casa, o agente T. pegou sua identificação e passou no escâner. A porta se abriu, eles entraram e foram até a recepção, onde um guarda sentado lia o jornal. Quando se aproximaram, ele o abaixou.

– Que tempestade lá fora, hein, agente T.?

O agente concordou com a cabeça.

– O tempo está piorando – então se virou para Cupido. – Este é o agente C.

Paelen sentiu o coração parar quando o prisioneiro deles sorriu para Cupido.

– Ele está aqui para visitar Jacobs.

– Isso não está agendado – disse o guarda com uma careta, checando sua prancheta. – Não tenho nenhuma visita listada aqui.

– Eu sei, mas houve uma mudança de planos – o agente T. falou. – O Comando está pensando em mandá-lo para outro local, especialmente agora que o cavalo alado e a garota estão de volta. Estes agentes estão aqui para analisar a logística da mudança e saber se Jacobs está em condições de viajar.

– Desculpe, agente T., mas se não está na lista, é melhor eu verificar. – O guarda esticou a mão para pegar o telefone.

Paelen deu um empurrão em Cupido.

– Vamos logo! – ordenou baixinho.

Cupido olhou furioso para ele, mas esticou a mão e a colocou sobre a do guarda.

– Está tudo bem, não precisa checar nada. Só vamos visitar o prisioneiro por um momento e depois partiremos. Volte à sua leitura, por favor. Faça isso por mim.

O guarda enrubesceu. Ele limpou a garganta e se levantou envergonhado.

– S-sim, é claro, tudo o que quiser. – Ele remexeu em sua mesa e logo pegou três crachás. – Se alguém perguntar algo, apenas mostrem isso. – Ele sorriu para Cupido enquanto passava os crachás. – Há algo mais que eu possa fazer por você?

– Não, obrigado – Paelen falou.

O guarda olhou rapidamente para Paelen e então seus olhos admirados pousaram novamente em Cupido.

– Espero que tenha um dia maravilhoso.

Enquanto o prisioneiro os levava até os elevadores, Cupido baixou a cabeça.

– Este é de longe o pior dia da minha vida. Minha mãe ficaria furiosa se soubesse o que estou fazendo. – Ele estremeceu visivelmente e olhou para Paelen. – Jamais o perdoarei por isso.

Paelen ia dizer algo, mas Joel interveio.

– Vênus entenderia. Ela ficaria orgulhosa se soubesse o quanto você está ajudando Emily.

O elevador chegou; eles entraram e o agente apertou o botão.

– O quão fundo isso vai? – Joel perguntou.

– Existem doze andares subterrâneos.

– E em quais andares os Nirads estão sendo mantidos? – Cupido perguntou um pouco nervoso.

– Nos últimos três.

Paelen fez uma careta.

– Espere aí, você nos disse que o pai de Emily estava no décimo andar. Então quer dizer que tem Nirads no mesmo andar que ele?

– Sim, mas eles estão dormentes e passam a maior parte do tempo dormindo. Asseguro que não causarão problemas. – Então olhou novamente para Cupido e sorriu como um carneirinho.

Um silêncio tomou conta do elevador enquanto desciam. Paelen sentiu como se estivesse entrando no labirinto do Minotauro: um caminho errado e eles ficariam cara a cara com o monstro. Só que dessa vez não seria o furioso Minotauro que eles encontrariam, e sim uma horda dos mortíferos Nirads. Dormentes ou não, um Nirad era um Nirad, e deles ele queria ficar o mais longe possível.

Chegando ao décimo andar subterrâneo, o agente T. os levou por um labirinto de corredores. Na metade de um bem longo havia uma pesada porta de metal, na qual havia uma plaquinha com o nome de Steve Jacobs. Ela tinha sido pintada de branco e havia uma fechadura de segurança codificada. Era idêntica às portas da instalação na Ilha do Governador. O agente digitou o código e abriu a porta.

Paelen entrou primeiro e sentiu um arrepio na espinha. O quarto era parecido com aquele em que ele tinha estado antes, e tinha até o mesmo cheiro. No centro dele havia uma cama com um calombo, pois seu ocupante estava com o cobertor puxado por cima da cabeça.

– Steve? – Joel chamou.

O calombo embaixo da coberta se virou e disse com uma voz abafada:

– Vá embora.

– Steve, sou eu, o Joel!

– E Paelen – o próprio acrescentou. – Emily está bem.

– Emily? – o calombo falou. O pai de Emily empurrou as cobertas e virou de lado. Seus olhos se arregalaram ao verem Joel e Paelen.

– É você mesmo? – Ele se levantou da cama e deu um grande abraço em Joel, fazendo o mesmo com Paelen em seguida. Seus olhos procuraram pelo quarto. – Onde está ela? Cadê a Emily?

– Ela não está aqui – Paelen falou. – Achamos melhor que não viesse, então ela ficou com Pegasus. Eles estão esperando por você.

Os olhos de Steve se encheram de lágrimas e seus ombros começaram a tremer.

– Ela está bem? Os Nirads a feriram, o que aconteceu depois? A UCP não me deixou vê-la e nem me disse como estava.

– Ela está bem, acalme-se – Paelen falou. – Vulcano construiu um aparelho de apoio para a perna dela e Emily pode caminhar normalmente.

– Eu comecei a pensar que tinha sonhado tudo aquilo – disse Steve, ainda trêmulo, para Joel. – Mas foi tudo real, não é mesmo? Pegasus estava aqui, tinha quebrado a asa, e vocês o pintaram de preto e marrom.

– Sim, isso mesmo – Joel falou. – Não foi um sonho.

– Espere um pouco – Steve dizia um pouco alarmado. – E a guerra? O Olimpo tinha sido destruído! O que aconteceu?

– Não temos tempo de explicar tudo – Paelen falou. – Precisamos sair daqui. – Ele percebeu que Steve estava usando uma camisola de hospital. – Você tem outra roupa? Está bem frio lá fora.

– Não, eles só me deram isso e nem deixaram me barbear ou cortar o cabelo – disse apontando para a barba grossa e os cabelos castanhos compridos. – Acho que tinham medo de que eu me matasse... – Os olhos de Steve finalmente recaíram no prisioneiro deles. – Agente T! – Furioso, Steve se lançou contra o homem, derrubando-o no chão e começando a socá-lo. – Você fez isso comigo! Você se recusou a me falar da minha filha!

– Pare, Steve! – Joel gritou se esforçando para separar os dois. – Não temos tempo para isso, por favor! Ele trabalha para nós agora! Pare! Precisamos ir; a Emily precisa de você.

A menção ao nome da filha fez Steve parar o punho no ar.

– Ele está trabalhando para vocês?

– Isso! Cupido o encantou e agora ele é nosso.

– Cupido? – Steve perguntou.

– Sou o Cupido – disse o Olímpico alado, dando um passo à frente. – É uma honra conhecer o pai do Fogo!

Steve sacudiu a cabeça confuso ao ver Cupido com seu terno preto comprido demais e o sobretudo com a corcunda atrás. Então olhou para Joel.

– Que fogo? Do que ele está falando?

Joel o pegou pelo braço.

– Temos muita coisa para contar – disse virando-se para Cupido. – Tire o seu sobretudo, o Steve vai precisar dele. – Então voltou a se concentrar no pai de Emily. – Lembra que Pegasus estava aqui para encontrar a filha de Vesta? Bom, no fim era a própria Emily. Ela é o Fogo do Olimpo.

– A minha Emily? – perguntou incrédulo. – Mas... mas... a Diana... ela disse que a filha de Vesta tinha de se sacrificar para salvar o Olimpo. Que ela tinha de morrer.

– Emily se sacrificou – Paelen explicou gentilmente. – Devia ficar muito orgulhoso de sua filha. Emily salvou o nosso mundo e o seu também, e depois acabou renascendo nas chamas, mas nunca parou de pensar em você ou de querer libertá-lo da UCP. Por isso escapamos do Olimpo para vir buscá-lo.

– Mas ela está viva, né? – Steve perguntou. – Emily está viva?

– É claro! – respondeu Joel. – E está esperando por você. Então, por favor, coloque o sobretudo de Cupido e vamos embora.

Steve vestiu rapidamente o sobretudo preto, mas, quando o grupo se moveu em direção à porta, um barulho muito alto de sirenes começou a soar repentinamente.

– Eles nos descobriram! – Joel gritou.

Paelen e Cupido começaram a farejar o ar e o rosto do Olímpico alado se encheu de terror.

– Não é a UCP.

– O que é então? – Steve perguntou.

Paelen gemeu e sacudiu a cabeça.

– De novo não! Isso não pode acontecer duas vezes comigo!

– O quê? O que está acontecendo? – Joel quis saber.

Todos ouviram urros guturais vindos do corredor e o som de portas sendo arrebentadas, seguido do som de armas automáticas e gritos de homens.

– Nirads – Paelen respondeu apreensivo. – Eles acordaram.

12

Paelen e Joel tomaram a frente e saíram do quarto de Steve. Rapidamente, os corredores ficaram lotados de soldados armados que se preparavam para lutar com os Nirads. Eles foram em direção aos elevadores.

– Não acredito! – disse Joel. – É igual à última vez!

– Os Nirads matarão todos nós! – gritou Cupido, que, aterrorizado, examinava todos os lados com os olhos arregalados. Suas asas se moviam um pouco e ele tremia muito.

– Eu o protegerei – disse o agente T., sacando a arma. – Eles não o machucarão.

– Não vão mesmo! – concordou Joel, colocando a mão no bolso do paletó para pegar sua adaga dourada. – Você trouxe a sua? – perguntou a Paelen.

Paelen assentiu e mostrou a dele.

– Se precisarmos lutar, é o que faremos!

Ter o agente T. com eles significava que não seriam incomodados por outros agentes, mas, enquanto esperavam o elevador, ouviram rugidos e rosnados muito altos.

Todos olharam quando algumas portas ao longo do corredor explodiram e dois Nirads saíram delas, se viraram para o grupo e cambalearam para a frente.

Soldados que estavam no corredor atiraram, mas as balas bateram naquela pele cinza de mármore e ricochetearam pela área, destruindo luzes e acertando outros soldados.

– As armas deles não resolverão nada! – Paelen disse sacudindo a cabeça. – Quando esses tolos vão aprender?

– Estamos presos aqui! – Cupido gritou, procurando freneticamente por uma saída. Os elevadores ainda estavam vários andares acima. – Eles vão nos destroçar! Vamos todos morrer!

– Acalme-se, Cupido! – disse Joel, apontando em uma direção. – Olha ali, tem as escadas. Vamos indo!

Mal começaram a subir as escadas e o grupo ouviu sons de luta vindos dos andares acima.

– Estamos cercados! – Steve gritou quando viu que dois Nirads do décimo andar surgiram pela mesma porta que tinham entrado.

Quando chegaram ao andar seguinte, os Nirads estavam se aproximando. Fugir deles parecia impossível. Então, Paelen e Joel pararam de correr, viraram-se para trás e levantaram bravamente suas adagas.

– Continue em frente! – Joel ordenou a Steve. – Volte para Emily! Ela está no Red Apple!

A mente de Paelen foi tomada pelas terríveis memórias do que os Nirads fizeram a eles na Ilha do Governador. Como esquecer a dor que sentiu quando tentaram arrancar seus membros e os sons de seus ossos se quebrando? Sua mão começara a tremer.

– Você está bem? – Joel perguntou.

– Não – Paelen admitiu.

– Nem eu.

A conversa foi interrompida quando as duas criaturas surgiram na escada diante deles. Os olhos negros dos Nirads se fixaram em Joel e no pai de Emily. Mostrando seus dentes afiados e rosnando com raiva, abriam e fechavam as garras; então, partiram para o ataque.

Joel brandiu sua adaga corajosamente, mas nunca tinha lutado com uma faca antes, muito menos com uma adaga, contra um Nirad. Ao girar a lâmina dourada no ar, ela atingiu um dos quatro braços do Nirad, fazendo seu sangue negro espirrar. Urrando de dor, a criatura lançou um soco brutal que arrancou a adaga das mãos de Joel e a lançou longe. Depois, rugiu e atacou.

Paelen tentou alcançar Joel para ajudá-lo, mas o segundo Nirad já estava em cima dele e o empurrava para o lado como se estivesse afastando uma mosca que o incomodava. Paelen foi lançado ao ar e caiu rolando pelas escadas.

Do final das escadas, Paelen olhou para cima e ficou aterrorizado com o que vira. Com firmeza, o primeiro Nirad segurava Joel suspenso no ar. Sem olhar para trás, a criatura rugiu triunfante e o carregou escada acima. Apesar de seu tamanho, Joel nada podia fazer contra os quatro braços que o seguravam com força.

– Paelen! – Joel gritou enquanto era carregado para cima e para longe do grupo. – Paelen, me ajude, por... – Sua voz desapareceu repentinamente.

– Joel! – Paelen gritou, temendo que seu melhor amigo tivesse acabado de ser morto pelo Nirad. – Joel!

Acima dele, outro Nirad lutava para pegar Steve. Quando Paelen achou sua adaga dourada, ouviu Cupido ordenando ao agente T. que atirasse.

– Não! – Paelen gritou correndo escada acima. Ele sabia que as armas humanas eram inúteis contra os Nirads, e, naquele lugar tão apertado, atirar contra um Nirad era uma ideia desastrosa.

Mas a arma do agente foi disparada. A bala ricocheteou na pele dura como mármore da criatura e acertou o peito de Steve. O

Nirad pegou o pai de Emily assim que ele caiu no chão. Paelen gritou e atacou, enfiando a adaga fundo nas costas do monstro.

O Nirad soltou Steve e uivou de dor e fúria enquanto tentava soltar a adaga, mas era tarde demais. O ouro do Olimpo já o tinha envenenado. A temível criatura cambaleou pelos degraus conforme foi perdendo as forças e, com um grito agonizante final, girou e caiu pesadamente escada abaixo.

Paelen pulou para o lado quando a enorme criatura caiu passando por ele, e não parou para checar se estava morta.

– Ajude o Steve, Cupido! – ele ordenou enquanto corria para tentar ajudar Joel.

Paelen estava em pânico quando subiu andar por andar atrás do amigo.

– Joel! – ele gritou. – Cadê você? – Mas não houve resposta.

Finalmente no térreo, Paelen empurrou com força as portas de entrada das escadas e saiu para o saguão, e o que viu foi destruição por todos os lados. Tal qual no Olimpo, os Nirads não deixaram pedra sobre pedra. Havia corpos de agentes da UCP e de soldados, e a recepção estava destruída em pedaços espalhados pela sala. As portas de entrada da casa tinham sido arrancadas e jogadas de lado.

Paelen correu para fora. Havia pegadas profundas na neve, todas seguindo na mesma direção, para dentro da floresta. A distância, viu a cerca eletrificada destruída pelo exército de Nirads.

Paelen estudou as pegadas e viu algo que quase fez seu coração parar: manchas de sangue na neve. Ele não precisava ver mais para saber que era sangue humano. Era o sangue de Joel. Suas pernas cederam e ele desabou no chão.

13

Emily, Earl e os dois agentes estavam sentados, comendo o que tinha sobrado das compras. No momento que Cupido partiu, os dois agentes grudaram em Emily como abelhas no mel, ansiosos para agradá-la, assim ela falaria para ele do ótimo trabalho que fizeram. No entanto, a única coisa que eles estavam conseguindo fazer era levá-la à loucura.

– Por favor, sentem e comam alguma coisa – disse aos agentes, que não paravam de circular em volta dela. – Nossa! Agora sei o que o presidente tem de aguentar com o serviço secreto...

Parado ao lado dela, Pegasus comia o último donut açucarado que Emily lhe dava.

– Tenho toda a proteção de que preciso com o Pegasus aqui.

– Como é lá no Monte Olimpo? – Earl quis saber. – Nunca fui nem para a Grécia.

– Nem eu – Emily respondeu. – O verdadeiro Olimpo não fica na Grécia; fica em outro mundo. Você precisa viajar por um tipo de estrada chamada de Corrente Solar para chegar até lá. Mas é realmente maravilhoso; mais bonito do que qualquer coisa que possa imaginar e cheio de pessoas e animais incríveis.

Earl suspirou.

– Eu adoraria ver isso um dia.

– Talvez um dia você veja, quando tudo isso acabar.

– Você poderia ir conosco – um dos agentes sugeriu, abrindo um sorriso quase louco – quando formos para lá com o Cupido!

Emily e Earl se entreolharam, mas não disseram nada, e todos ficaram em silêncio enquanto esperavam por notícias dos outros.

O tempo pareceu parar enquanto eles esperavam. A cada momento que passava, Emily sentia o medo aumentar.

– Quanto tempo faz que eles foram? – ela perguntou finalmente.

Earl checou o relógio.

– Mais ou menos uma hora e meia. Devem voltar a qualquer momento.

Emily começou a andar de um lado para o outro.

– Espero que eles se apressem.

Os dois agentes se levantaram e começaram a andar com ela.

– Será que os dois podem se sentar, por favor?! – Emily gritou. – Eu estou bem; não há ninguém aqui querendo me ferir!

As palavras tinham acabado de sair de sua boca quando um forte som de algo se quebrando veio da cozinha. Pegasus relinchou alto e disparou em direção à escuridão. Emily arregalou os olhos, mas não conseguiu ver nada.

Os dois agentes entraram em ação.

– Fique ali atrás! – ordenaram, levando-a para longe da cozinha. – Vamos ver o que está acontecendo. – Um deles apontou para Earl. – Fique de olho nela.

Emily podia ouvir os relinchos estridentes e furiosos de Pegasus.

– Pegs! – ela gritou e começou a sentir o Fogo nascer dentro dela. – Não! – disse a si mesma. – De novo não. E não agora!

Outros sons vinham da cozinha. Misturados aos de Pegasus, também se ouviam grunhidos e guinchos.

– Que diabos é isso?! – Earl gritou quando um animal grande invadiu a área de jantar e derrubou os dois agentes.

Depois de todo o tempo que tinha passado no Olimpo, Emily achou que já tinha visto tudo que o mundo tinha a oferecer, mas, agora, parado diante dela, havia um enorme javali alado. Ele tinha pelo grosso e marrom e presas afiadas saindo de seu focinho ameaçador, mas o mais estranho eram as asas, que estavam dobradas junto ao corpo atarracado, se estendiam quase um metro para trás dele e eram marrons como o pelo. O animal raivoso atacou, mas parou bem perto de Emily.

Pegasus veio rapidamente por trás dele, abaixou a cabeça e acertou o javali com força suficiente para mandá-lo para longe.

O bicho raivoso se ajeitou, virou-se e atacou Pegasus, que se manteve no lugar e baixou a cabeça novamente. Quando as duas cabeças se encontraram, o som dos crânios batendo foi desesperador.

– Pegasus! – Emily gritou.

Earl estava ao lado dela e a segurava.

– Não faça isso! – ele alertou. – Não sei o que é aquela coisa, mas, se for parecida com os javalis selvagens que temos aqui, não deve ser nem um pouco amigável! Temos de sair daqui!

– Não vou deixar o Pegasus sozinho! – disse Emily se soltando.

Pegasus empinou e, com as patas dianteiras, chutou o javali feroz. Mas, apesar de o bicho ser enorme, era rápido como um raio e conseguiu se desviar dos cascos letais do garanhão.

– Pare! – Emily gritou.

Ela podia sentir a ondulação em seu estômago se transformar em um formigamento forte, o que acontecia quando o poder do Fogo começava a crescer com seu medo. Logo ele subiria e deslizaria por seus braços, e não havia nada que ela pudesse fazer para controlá-lo.

– Parem de lutar, por favor. O Fogo está vindo!

Mas a luta continuava terrível. O javali atacou, se desviando e passando por baixo das pernas de Pegasus, chegando à sua parte vulnerável. Então, ele jogou a cabeça para cima e suas presas perfuraram a barriga do garanhão.

Pegasus gritou de dor e, com os dois cascos, golpeou em cheio as costas do javali, que guinchou e correu, mas então se virou para encarar o garanhão novamente. Mesmo naquela luz fraca, Emily podia ver o sangue escorrendo das feridas de Pegasus, mas ele não parou, empinando de novo e atacando o javali alado.

De repente, de todos os lados do restaurante surgiu um som que Emily conhecia muito bem, e ela girou a cabeça, olhando por toda a área.

Dedos grossos e nojentos com garras afiadas retiravam as madeiras das janelas e, conforme foram sendo arrancadas, a luz do dia começou a mostrar o horror que ainda estava por vir. Um exército de Nirads estava do lado de fora do Red Apple quebrando tudo para entrar.

– Nirads! – ela gritou e correu para mais perto do garanhão, que lutava. – Pegasus, pare, temos de fugir! Os Nirads estão aqui!

– São os alienígenas de quatro braços que atacaram o Olimpo? – Earl perguntou com os olhos cheios de terror, examinando todo o salão. – Aqueles que machucaram sua perna?

Emily confirmou com a cabeça. Os sons de janelas sendo quebradas, madeira destroçada e os rugidos dos Nirads, naquele espaço não muito grande do salão de jantar, eram ensurdecedores.

– Estão aqui para nos matar! – Emily teve de gritar para que Earl conseguisse ouvir o que dizia. – Pegue os agentes e vá embora! Fuja antes que seja tarde demais!

– Não vou abandoná-la! – Earl respondeu. – Você vem comigo!

Os poderes de Emily cresciam dentro dela e em minutos as pontas de seus dedos explodiriam em chamas.

– Não posso! O Fogo está vindo e não tenho controle sobre ele! – Ela empurrou Earl enquanto o formigamento subia de seu estômago e fluía por seus braços. – Vá embora agora, antes que seja tarde demais! – grunhiu.

Quando o primeiro Nirad tocou o chão do Red Apple, os poderes de Emily se soltaram e, apesar de estar aterrorizada, ela se forçou a se concentrar. As pontas de seus dedos dispararam chamas largas, mas, quando o Nirad a atacou, Emily retraiu o fogo e o comprimiu em um raio vermelho fino.

Ela apontou as mãos para o Nirad e o raio atingiu aquele pesadelo feroz atravessando a criatura, cortando-a no meio. Gritos de dor encheram o ambiente quando ele caiu no chão e morreu.

Mas não havia tempo para comemorar, pois mais e mais Nirads entravam no restaurante. Emily correu e disparou em outro Nirad, depois em outro, mas, com o pânico que sentia, não conseguia mirar muito bem e apenas feriu os atacantes.

Com o raio vermelho ainda saindo das pontas dos dedos, os olhos arregalados de Emily encontraram mais Nirads e ela continuou disparando neles. O problema é que assim que eles caíam, outros apareciam para substituí-los. Ela não tinha ideia de quantos eram, só que o número era muito maior do que já enfrentara e, mesmo com seus poderes, a desvantagem era gigantesca.

– Pegasus! – ela gritou, mas o garanhão e o javali ainda lutavam. Ao olhar para trás, Emily viu vários Nirads se juntando ao confronto e atacando Pegasus. Earl e os agentes enfrentavam um Nirad, e Emily correu em direção a eles.

O Nirad se livrou rapidamente do primeiro agente e em seguida do segundo; depois se virou para Earl.

– Earl, não...!

O Nirad o pegou e o levantou no ar. Emily chegou em um piscar de olhos e apontou as mãos para o Nirad, enquanto o monstro apertava Earl em um abraço mortal. Seu raio vermelho o atingiu na perna e a cortou fora. A criatura rosnou e jogou Earl do outro lado do restaurante.

Emily não conseguiu ver onde ele caiu e não sabia se estava vivo ou morto, mas não teve tempo de descobrir. Ela virou as mãos para os Nirads que atacavam Pegasus, mas o medo de acertar o garanhão desregulou sua mira.

Enquanto se esforçava para controlar o raio para que acertasse apenas os Nirads, acabou sendo atacada por trás. Um dos monstros a pegou pela cintura e a levantou facilmente.

Os braços de Emily se agitaram para todos os lados e ela perdeu o controle do Fogo, que foi disparado para todas as direções no restaurante, furando paredes, teto, chão e qualquer

Nirad que estivesse no caminho. Tudo que o poderoso raio vermelho tocava era cortado como faca na manteiga, e logo as paredes do Red Apple queimavam furiosamente.

– Não! – ela gritou, e, quando o terror ameaçava dominá-la por completo, Emily recuperou o controle e apontou as mãos para o Nirad que a segurava. O fogo queimou as pernas do monstro, que rugiu em agonia e a soltou. Os dois caíram juntos no chão.

Emily cambaleou para longe, mas seu alívio durou pouco. Antes que pudesse levantar as mãos de novo, foi atingida e caiu. Uma enorme dor de cabeça a atingiu enquanto vários braços, que pareciam de aço, a seguravam.

Enquanto aqueles braços brutais a esmagavam, Emily continuou a lutar, mas foi em vão. Seus poderes simplesmente pararam e ela não tinha forças para enfrentar os Nirads; então levantou a cabeça procurando por Pegasus.

O garanhão tinha sido derrubado e seus gritos de dor soavam alto enquanto os Nirads se amontoavam sobre ele.

– Pegasus! – ela gritou.

O Nirad que segurava Emily a levantou no ar, mas, enquanto outras criaturas se aproximavam, todos ouviram um barulho alto de algo se quebrando e um gemido vindo da construção.

Emily olhou para cima e viu o monte de cortes e furos feitos pelo seu poderoso raio vermelho. O teto parecia uma grande fogueira; o peso da neve em cima e o fogo queimando embaixo foram demais para a madeira enfraquecida. Antes que alguém tivesse tempo de reagir, as vigas se partiram e o teto em chamas desabou.

14

Emily voltou a ficar consciente e abriu os olhos. Um grito escapou de seus lábios antes que ela pudesse segurá-lo, pois estava sendo carregada nos braços de um Nirad, que olhou para ela e em seguida tampou sua boca com a terceira mão.

Ele balançou a cabeça negativamente. A mensagem era clara: não grite.

Emily tentou se soltar dos braços do Nirad. Apesar da força inacreditável que tinha, o aperto dele sobre ela era surpreendentemente frouxo e não causava nenhuma dor.

Quando o Nirad teve certeza de que ela não gritaria de novo, removeu a mão da boca de Emily, que quase vomitou com o gosto sujo que ficara nos lábios. Olhou em volta e ficou aterrorizada ao ver que não estava mais no Red Apple, mas cercada por criaturas enormes que caminhavam pelo chão repleto de neve da floresta.

Foi só então que notou os cortes, as queimaduras e os rasgos em sua roupa. Ela estava coberta de sangue e cheirava a fumaça, mas não sentia nenhuma dor. O jeans rasgado expunha grande parte do suporte dourado que usava na perna. O Nirad tomava muito cuidado para não encostar nele, como se soubesse que era muito perigoso.

As mãos de Emily estavam cobertas de sangue seco, terra e cinzas, mas a pele estava lisa e sem nenhum arranhão; também conseguia movê-las sem dor nenhuma. Emily percebeu de repente que, apesar das roupas rasgadas, não sentia frio, mesmo estando em meio a uma tempestade de neve. Cupido tinha razão, ela realmente era uma Olímpica agora.

Foi só então que ela se lembrou do que tinha acontecido, de como o teto do Red Apple tinha incendiado e depois desabado sobre eles.

O que aconteceu com os outros? Emily pensou em Pegasus. A última coisa de que se lembrava era dos Nirads se amontoando sobre ele.

– Pegasus?! – ela gritou com o pânico se instalando, e então se esforçou para escapar dos braços que a seguravam. – Cadê você, Pegs?!

Bem atrás do grupo ela ouviu o garanhão relinchar e seu coração se encheu de alívio por ele ainda estar vivo.

– Você está bem?

O Nirad que a segurava a apertou de leve e grunhiu, sacudindo novamente a cabeça. Ela se concentrou nele. Eles eram diferentes dos outros que tinha encontrado. Este Nirad parecia ter inteligência e entender as coisas e, quando olhava para ela, parecia realmente vê-la, demonstrando não ter aquele olhar inexpressivo e o desejo de matar de antes. A pele da criatura também tinha uma cor diferente das outras que havia encontrado; ainda era semelhante a mármore, mas em vez de cinza aquele Nirad era laranja-escuro. Emily olhou em volta e viu Nirads de cores diferentes: cor de laranja, cinza e alguns até lilás. Liderando o grupo que entrava cada vez mais fundo na floresta estava o javali alado, que tinha em suas costas e asas cicatrizes, que ainda sangravam, em forma de cascos, adquiridas na luta que travou com Pegasus. Uma das asas estava virada em um ângulo estranho, provavelmente quebrada, e era arrastada pela neve.

– Me ponha no chão, por favor – Emily pediu tranquilamente ao Nirad.

A criatura olhou para ela, mas permaneceu em silêncio.

– Você consegue entender o que falo?

Na frente do grupo, o javali alado parou, virou-se e trotou até Emily, parando novamente em frente ao Nirad que a segurava; ela sentiu a criatura reagir. Ele a levantou mais alto e para longe das presas afiadas do animal bravo, segurando-a mais firme.

O javali guinchou e sacudiu a asa boa para ela ameaçadoramente.

Pegasus respondeu de imediato e relinchou nervoso lá atrás. O javali olhou para trás, guinchou de novo e voltou à frente da procissão.

Segura bem alto nos braços do Nirad, Emily deu uma olhada por cima de seu ombro. Ela respirou fundo ao ver seu garanhão amado. Pegasus estava coberto de arranhões, queimaduras e sujeira por causa da queda do teto, mas o pior eram suas asas tão belas. O fogo tinha queimado a maioria das penas, deixando apenas uma penugem chamuscada.

– Pegs – ela falou chorosa –, me desculpe.

Havia muito mais Nirads de cor cinza em volta de Pegasus, e eles rosnavam, babavam e o cutucavam com paus para fazer com que continuasse andando.

O Nirad abaixou Emily até que ela não conseguisse mais ver o garanhão. Depois olhou para ela e, por um momento,

Emily viu uma tristeza profunda ali enquanto a coisa a apertava gentilmente.

– Vocês foram obrigados a nos capturar? – ela perguntou com um sussurro apressado.

A criatura concordou com a cabeça.

– Você me entende!

A criatura olhou para o javali liderando o grupo antes de olhar de volta para ela e, mais uma vez, concordou com a cabeça.

A cabeça de Emily virou um turbilhão. Desde que tinha encontrado o primeiro Nirad em Nova York, sempre pensou neles como criaturas sem cérebro focadas em apenas uma coisa: destruição. Mas se aquele Nirad podia entendê-la, será que os outros também entendiam? Será que havia mais neles do que ela havia pensado?

Enquanto era carregada floresta adentro, Emily continuou estudando os Nirads e começou a perceber outras diferenças significativas. Havia muito mais do que a diferença na cor de suas peles. Os Nirads de cor cinza eram mais corpulentos, babavam, arrastavam os pés e pareciam seguir os outros, e não liderar. Os de cor lilás pareciam controlar os cinzas, pois ocasionalmente grunhiam instruções para eles.

Emily voltou a olhar para o rosto do Nirad laranja que a carregava e notou uma grande diferença: ele era mais alto e fino e, apesar de ter a mesma estrutura muscular, com cabelo comprido, quatro braços e garras, aqueles Nirads de cor laranja apresentavam um tipo de presença nobre que sugeria que tinham inteligência e talvez até empatia.

Emily deu uma olhada para o javali alado lá na frente antes de perguntar ao Nirad que a carregava:

– Consegue falar a minha língua?

A criatura fez que não com a cabeça, depois abriu a boca mostrando uma fileira de dentes terrivelmente afiados. Ele tinha uma língua muito pequena e soltou um som baixo que Emily não conseguia entender. O monstro sabia que sem uma língua apropriada jamais conseguiria falar a língua dela.

Quando Emily abriu a boca para fazer outra pergunta, o Nirad colocou sua terceira mão sobre ela novamente, fazendo um movimento para a frente para mostrar a ela que o javali alado estava diminuindo o passo para ouvir.

Emily assentiu, a criatura removeu a mão de sua boca e os dois ficaram o resto do caminho em silêncio. Depois de um tempo, Emily viu que o terreno diante deles se elevava e percebeu que tinham chegado à base da montanha, mas, em vez de começar a subi-la, estava indo para a esquerda. À frente ela viu uma área escura que poderia ser a entrada de uma caverna bloqueada por duas pedras grandes.

O javali alado guinchou e o grupo parou. O Nirad que carregava Emily ficou bem para trás enquanto os da cor cinza seguiam em frente. Eles grunhiram e rosnaram enquanto empurravam as enormes pedras cobertas de neve da entrada.

Emily podia ver Pegasus novamente. Vários Nirads de cor laranja o cercavam, mas não tocavam nele, que estava com a cabeça baixa e os olhos fechados por causa da exaustão. Sua crina bela e sedosa estava toda emaranhada e chamuscada pelo fogo. Emily desejou desesperadamente poder tocar nele para curá-lo, ou pelo menos poder falar com ele, mas sabia que o Nirad jamais permitiria.

Emily também tinha certeza, pela expressão em seu rosto, de que ele a segurava em um ângulo que permitisse a ela ver Pegasus, mas não faria mais do que aquilo.

– Vai ficar tudo bem, Pegs – ela disse, não percebendo que o javali alado estava a apenas alguns metros deles. – Vamos dar um jeito de sair dessa.

O javali se virou e guinchou novamente para ela.

– O que você vai fazer? – Emily disparou de volta. – Vai me matar? Vá em frente, pode tentar! Mas se ousar encostar mais uma vez em Pegasus, juro que liberarei meus poderes e matarei todos nós! Entendeu bem?

O javali alado olhou para Emily e deitou a cabeça de lado como se estivesse curioso; depois se aproximou. Mais uma vez o Nirad a levantou acima do alcance dele, mas o javali não iria tolerar aquilo e guinchou furiosamente para a criatura até que Emily fosse novamente colocada no chão.

Ela agora estava cara a cara com o grande animal e, olhando em seus grandes olhos castanhos, viu nele uma grande inteligência, o que a fez lembrar de Pegasus. As presas afiadas do javali estavam a centímetros de seu rosto, mas Emily não sentia medo. Tudo o que queria era manter o garanhão a salvo.

– Não sei quem você é e nem por que está fazendo isso – disse ela –, mas falei sério. Se machucar Pegasus de novo, usarei meus poderes contra você, mesmo que isso me mate. Eu não ligo. Deixe-o em paz.

O javali se aproximou mais de Emily, até que seu focinho peludo encostasse na bochecha dela. Na hora que se tocaram, o javali guinchou surpreso e pulou para trás, olhando para sua asa quebrada e movendo-a um pouquinho. Depois olhou para

Pegasus e grunhiu. Finalmente foi em frente e encostou o focinho em uma das mãos de Emily.

Contra sua vontade, os poderes dela o curaram. As marcas de cascos desapareceram e a asa se levantou e voltou à sua posição.

– Você é um Olímpico! – Emily falou chocada.

O javali encarou Emily por vários segundos até que se virou, foi em direção a Pegasus e começou a guinchar.

Pegasus levantou a cabeça orgulhoso e encarou o javali, relinchando várias vezes e batendo o casco dourado no chão cheio de neve.

Ela desejou mais do que nunca poder entender o que ele dizia. Algo muito sério estava acontecendo ali e ela precisava saber o que era.

Depois de uma longa troca de falas, o javali olhou novamente para Emily, depois se virou e caminhou através da neve funda até os Nirads que liberavam a entrada da caverna. Quando o fizeram, ele entrou.

Todos começaram a se mover e, em fila, entraram um por um na caverna escura. Logo o Nirad que carregava Emily também entrou, e ela olhava na direção de Pegasus, se esforçando para vê-lo por entre os Nirads que o cercavam. Ele também estava sendo levado, e ia logo atrás dela. Emily não conseguia ver nada enquanto seus olhos tentavam se ajustar, saindo do brilho cegante da neve para a escuridão da caverna, mas podia ouvir os grunhidos dos Nirads que se amontoavam na área apertada. Momentos depois alguma coisa roçou sua perna, o braço de um Nirad, e, ao tocar no aparelho dourado, ele urrou de agonia e, ainda gritando, caiu no chão segurando o braço ferido. Depois se levantou e atacou Emily, desesperado para matá-la, mas, antes que ela pudesse reagir, o Nirad cor de laranja que a segurava o agrediu com um de seus poderosos braços. O punho dele acertou brutalmente o rosto do Nirad que a atacava, e Emily o ouviu caindo para trás, aos grunhidos.

O Nirad levantou-se novamente, mas, antes que pudesse atacar outra vez, mais Nirads cor de laranja cercaram Emily e a protegeram. Quando seus olhos finalmente se adaptaram à luz, ela viu que tinha sido atacada por um dos Nirads de cor cinza.

O som estridente do javali alado foi ouvido por toda a caverna e os Nirads pararam. O animal andou por entre as criaturas e se aproximou de Emily; depois olhou para o Nirad dela e guinchou.

O Nirad grunhiu e se ajoelhou para mostrar ao javali o aparelho dourado da perna de Emily, que estava exposto. Ele o cheirou, virou para Pegasus e guinchou alto. Emily se ajeitou para olhar para trás de seu Nirad e ver o garanhão, mas sua visão estava bloqueada. Ela ouviu Pegasus raspar o chão de pedra da caverna com o casco, mas ele não disse nada.

O javali alado se concentrou novamente em Emily e grunhiu. Depois, arrancou uma parte da roupa de um Nirad próximo e enrolou o pano sujo por cima do outro que estava exposto. Um segundo trapo foi rasgado de outro Nirad enquanto o javali garantia que o aparelho da perna dela ficasse bem coberto.

O javali saiu andando por entre as criaturas reunidas e seguiu em direção à parede do fundo da apertada caverna. Ele abriu as asas e emitiu vários sons altos e curtos.

De repente a parede da caverna ganhou vida, como se tivesse havido uma explosão silenciosa. Uma luz branca ofuscante surgiu na caverna escura, seguida de ventos fortes e sons de eletricidade estalando. Emily respirou fundo e percebeu que aquilo era um portal para a Corrente Solar. Era assim que os Nirads tinham viajado para seu mundo. Foi assim que o javali alado atravessou a luz e desapareceu; os Nirads o seguiram.

O medo cresceu dentro dela quando seu Nirad se aproximou do portal.

– Não, por favor! – ela implorou enquanto se debatia nos braços dele. – Por favor, eu pertenço a este lugar! Este é o meu mundo, não quero ir embora! – Ela continuou se debatendo contra os braços fortes do Nirad, mas não adiantou. Ele a segurou perto de si, grunhiu de leve e foi em frente. Momentos depois, Emily foi carregada através do portal brilhante e desapareceu.

15

Paelen chorava ao se ajoelhar na neve. Como o plano de resgate podia ter dado tão errado? Ele se amaldiçoou por não ter trazido Emily e Pegasus. Ela poderia ter usado seus poderes e Joel não teria morrido.

Lágrimas escorriam pelo seu rosto enquanto ele sofria pela perda do melhor amigo. Até Joel e Emily entrarem em sua vida, Paelen esteve sempre sozinho, vivendo de roubos e furtos e sempre afastado dos outros Olímpicos. Sempre um excluído, nunca parte de algo ou de alguém, mas Joel e Emily tinham mudado aquilo. Eles trouxeram alegria e aventura à sua vida e, mais do que isso, tinham se tornado sua família.

Agora Joel tinha morrido e o pai de Emily estava ferido. O que ele poderia dizer a ela para compensar aquilo? Paelen tinha falhado com todos eles.

– Paelen! – Cupido chamou. Ele estava parado na porta de entrada segurando o pai de Emily e o agente T. estava ao seu lado. – Vá pegar o carro – Cupido ordenou para o agente, enquanto carregava Steve para mais perto. – Paelen, este humano está muito ferido. Precisamos encontrar ajuda para ele.

Paelen se levantou e examinou o pai de Emily. Seus olhos estavam fechados e o rosto pálido, mas ainda respirava. Ao sentir o pulso no pescoço de Steve, viu que ele ainda estava forte, mas por quanto tempo? Respirando fundo, Paelen se afastou dos rastros dos Nirads e, relutantemente, seguiu Cupido e o agente T.

Ele se sentou no banco de trás segurando o pai de Emily e pressionando o ferimento. A mancha na parte da frente da camisola de hospital estava se espalhando. Steve estava perdendo muito sangue.

Cupido estava no banco do passageiro ao lado do agente T.

– Leve-nos de volta ao Red Apple – ele ordenou. – E rápido.

Enquanto o agente T. dirigia para longe da instalação da UCP, Paelen sacudiu a cabeça.

– Mas por que Joel e Steve? – ele pensou em voz alta. – Os Nirads só queriam Joel e Steve!

Cupido olhou para trás.

– Não, eles estavam atrás de todos nós.

Paelen balançou a cabeça negativamente.

– Está enganado. A criatura podia ter me matado, mas era como se mal tivesse me visto; ele simplesmente me empurrou para longe de seu caminho, como se eu não significasse nada, e se concentrou em Steve. Por que será?

Cupido voltou a olhar para a frente.

– E por que será que o Nirad carregou o Joel? – ele conjecturou. – Podia tê-lo matado e o deixado lá, mas levou o corpo com ele.

Paelen estremeceu. Cupido tinha externado seu maior medo, o de que Joel estivesse mesmo morto.

– O que vamos dizer a Emily?

– Que Joel morreu bravamente defendendo o pai dela – disse Cupido, inclinando-se para a frente a fim de olhar para o céu à frente deles. – A neve está ficando mais forte. Devemos pegar Emily e Pegasus e partir logo deste mundo.

Eles viajaram em silêncio enquanto rodavam pela estrada lamacenta de volta a Tuxedo e em direção ao restaurante; foi quando notaram um grande número de carros de bombeiros e de polícia circulando. Paelen ainda viu alguns caminhões do exército passar.

– Devem estar procurando os Nirads – o agente T. sugeriu.

Cupido sacudiu a cabeça.

– Não pode ser, os Nirads foram em outra direção. Esses homens parecem estar indo para...

Cupido interrompeu a frase e olhou para Paelen. Falaram ao mesmo tempo:

– O Red Apple! – Ele olhou para o agente T. e gritou – Mais rápido!

O carro acelerou em direção ao esconderijo deles. Quando passaram pela estrada em frente ao restaurante, viram as luzes dos caminhões de bombeiros piscando, carros de polícia e veículos militares lotando o estacionamento. A construção estava destruída. Uma parte do teto ainda pegava fogo e os bombeiros se esforçavam para apagá-lo. Para todos os lados que olhavam eles viam destruição; nada do restaurante permanecia intacto.

– Emily! – Paelen gritou.

Quando o agente T. começou a virar o carro para entrar no estacionamento lotado, Cupido ordenou que não fizesse isso.

– Continue pela estrada.

– O que está fazendo, Cupido? – Paelen perguntou.

– Não devemos deixar que nos vejam. Já perdemos Emily e Pegasus. Por que nos renderíamos assim fácil?

O medo de Paelen se transformou em fúria.

– Não perdemos Emily! – ele gritou. – Temos de voltar lá e encontrá-los!

– Acalme-se, Paelen! – Cupido ordenou. – Faremos isso, mas não podemos ser vistos. Agora é hora de ficarmos invisíveis. Confie em mim uma vez, sou mais velho que você e sei o que estou fazendo.

Paelen estava assustado demais para saber o que fazer. Steve estava ferido, Joel estava morto e agora aquilo. As coisas estavam muito além do que ele já tinha vivenciado.

O carro passou pelo Red Apple e continuou. Cupido instruiu o agente T. a parar no estacionamento de um posto de gasolina fechado. Paelen deitou a cabeça de Steve no banco traseiro e desceu do carro com cuidado.

– Muito bem – Cupido falou. – Temos duas escolhas. Posso voar até o Olimpo e buscar ajuda...

– Não! – Paelen o cortou enquanto o empurrava com força. – Não vai fugir para o Olimpo, seu grande covarde! Emily e Pegasus estão nos destroços e precisam que a gente os resgate antes dos agentes da UCP!

As asas embaixo do casaco de Cupido vibraram enquanto ele se endireitava e chegava mais perto de Paelen, olhando-o de cima com os olhos queimando de raiva.

– Não sou covarde! – ele gritou. – Por que não é capaz de acreditar que me importo com Emily e Pegasus? Acha que eu os abandonaria em um momento de necessidade? Pois me importo, sim, Paelen! Não vou deixá-los à mercê da UCP! Ia dizer que podia voar até o Olimpo em busca de ajuda ou que nós dois podemos ir até ali para tentar achar a Emily, e ia sugerir a segunda opção!

Paelen ficou em silêncio com a surpresa do estouro de Cupido. Em todo o tempo que o conhecia, nunca o tinha visto tão nervoso.

– Me desculpe, Cupido, fui injusto; você não é covarde. Até agora fez tudo o que pedimos que fizesse, mesmo sendo algo que o feriu. – Paelen olhou para o agente T. e seus olhos apaixonados seguindo Cupido. – Não teríamos conseguido chegar tão longe sem sua ajuda. Mas perder o Joel e agora ver o Red Apple destruído sabendo que Emily e Pegasus estavam lá, tudo isso não me deixou pensar direito!

Cupido se acalmou.

– Sei que nem sempre mostrei meu valor para você e os outros, e, sim, talvez eu tenha vindo aqui tanto para ficar longe dos Nirads quanto para ajudar Emily. Mas acredite, Paelen, eu quero mesmo ajudar. Agora vamos garantir que Steve fique a salvo e então podemos ir até o Red Apple para tentar achar a Emily e o Pegasus.

Eles deram uma olhada em Steve no banco de trás do carro e viram que ainda estava inconsciente, mas o sangramento tinha parado e ele respirava bem. Depois de o deixarem o mais confortável possível, começaram a caminhar de volta para o restaurante.

Nevava muito agora e os flocos grossos iam se alojando em seus cabelos e ombros, limitando a visão deles a apenas alguns metros à frente. Mantendo-se no meio das árvores grossas que cresciam atrás do Red Apple, eles se aproximaram da área.

Uma das primeiras coisas que viram foi o agente O. supervisionando as buscas. Ele andava com duas muletas e suas pernas estavam enfaixadas. Mas mesmo com os ferimentos e a dor óbvia, ele estava bem o suficiente para gritar ordens para as outras pessoas que trabalhavam na área, mandando que não parassem até que encontrassem Emily.

– Ainda não encontraram Emily – Paelen disse agradecido. – Ainda temos esperança.

Os olhos dele examinaram a área e a destruição era completa.

– O que aconteceu aqui? – ele perguntou em um sussurro. – Será que foram as lágrimas de Emily de novo?

Chocados, eles assistiam em silêncio quando vários homens emergiram dos destroços se esforçando para carregar uma maca muito pesada. Um lençol cobria o corpo, mas, quando os homens o levaram para colocar em um caminhão, um dos braços caiu para o lado, e era cinza-mármore.

– Nirads – Cupido falou. – Enquanto estávamos fora os Nirads atacaram nosso esconderijo!

– Como é possível? – Paelen perguntou. – Os rastros deles lá na UCP indicavam que estavam indo para dentro da floresta. Como podem ter chegado aqui antes da gente?

Cupido deu de ombros.

– Não poderiam. Mas se não foram os mesmos Nirads que nos atacaram...

– Quer dizer que tem mais deles neste mundo – Paelen completou a sentença.

Enquanto as buscas continuavam, Paelen, Cupido e o agente T. rastejaram para mais perto e tentaram descobrir algum sinal de Emily ou de Pegasus. Havia muitos agentes da UCP e soldados vasculhando os destroços, mas não havia nenhum traço dos amigos desaparecidos.

Pouco depois, outra maca foi trazida de dentro dos destroços fumegantes, e Paelen e Cupido sabiam que era outro Nirad pelo tamanho do corpo, mas aquele era diferente, pois o que estava embaixo do lençol terminava na linha da cintura. Logo em seguida uma terceira maca emergiu, e o que estava sobre ela tinha o mesmo formato estranho. Os homens que a carregavam escorregaram na neve e caíram no chão, fazendo com que o corpo caísse da maca, revelando que eram apenas as pernas e a parte de baixo do torso de um Nirad.

Paelen apontou para aquilo.

– Veja o corte. Ele foi feito com fogo.

– Emily pode matar os Nirads! – Cupido disse satisfeito. – É por isso que vieram atrás dela. Se sabiam que ela e Pegasus podiam matá-los, é claro que tentariam pegá-los primeiro antes de completar seu ataque ao Olimpo.

– Ou a este mundo – Paelen acrescentou. Depois, examinando ainda os destroços, sacudiu a cabeça. – Já vimos Nirads sendo retirados de lá, mas onde estão os outros?

– Quem sabe ele possa nos dizer? – perguntou o prestativo agente T., apontando para outra maca sendo retirada dos destroços. Diferentemente das outras, o ocupante não estava todo coberto pelo lençol; ele tinha um cobertor em volta do corpo e o rosto estava bem queimado, mas estava vivo e gemia alto.

– Earl! – disse Paelen. – Temos de resgatá-lo. Ele pode nos contar o que aconteceu aqui.

Eles viram Earl ser colocado na ambulância.

– Para onde o levarão? – Cupido perguntou para o agente T., que sorriu radiante e agradecido por poder ajudar.

– Não podem levá-lo de volta às nossas instalações depois do que os Nirads fizeram lá. Se fosse eu, colocaria vários agentes em um hospital e o levaria para lá.

Paelen percebeu que se a UCP levasse Earl embora, jamais saberiam o que tinha acontecido com Emily e Pegasus. Então olhou para Cupido.

– Temos de detê-los.

– Como? – Cupido perguntou. – A área toda está coberta de agentes. Seremos capturados antes de chegarmos perto dele.

– Se o agradar, posso fazer isso – o agente T. se ofereceu. – Eles me conhecem e não suspeitarão que estou fazendo isso por você. Posso capturar a ambulância e então iremos embora daqui.

Paelen olhou para Cupido.

– Não temos escolha. Se ele quer, deixe-o tentar.

Cupido se virou para seu prisioneiro.

– Sim, me agradaria bastante se pudesse fazer isso. Vá pegar o veículo. Quando estiver pronto, leve-o para onde deixamos nosso carro. Paelen e eu o encontraremos lá.

O rosto do agente T. estava radiante quando se levantou, ansioso para cumprir seu dever.

– Farei tudo por você, Cupido!

Cupido se encolheu quando o agente T. demonstrou sua devoção eterna. De onde estavam escondidos, viram a postura dele mudar, mantendo as costas retas e andando com a arrogância que estavam acostumados a ver. A voz dele era alta e de comando ao se aproximar do grupo de agentes parados ao lado da ambulância na qual Earl estava.

Eles o viram exigir um relatório completo e Paelen e Cupido suspiraram profundamente de alívio quando ouviram os outros explicando que não havia vestígios da garota ou do cavalo nos destroços, apenas corpos de Nirads e de dois agentes da UCP e um sobrevivente.

O agente T. ordenou que voltassem ao trabalho nos escombros. Ao ficar sozinho com a ambulância, fechou as portas traseiras, correu para a porta do motorista e entrou. Momentos depois a ambulância foi ligada e o agente T. engatou a marcha e dirigiu para fora daquela área.

– Devemos ir embora – disse Cupido se levantando e pegando Paelen pela manga. – Não queremos que o agente T. espere muito por nós, senão pode tentar voltar para me procurar.

A ambulância esperava por eles ao lado do carro preto quando saíram do meio das árvores. O agente T. estava em pé ao lado das portas traseiras e pulava de ansiedade.

– Eu falei que conseguiria! – Ele parecia uma criança esperando um elogio. – Fiz tudo certo?

– Sim – Cupido respondeu. – Fez tudo certinho.

Eles abriram as portas e imediatamente foram atingidos pelo cheiro de fumaça que vinha de Earl. O rosto dele estava em carne viva por causa das queimaduras e ele gemia baixinho.

– Earl – Paelen chamou gentilmente, subindo na ambulância e indo até a maca. – Somos nós, Paelen e Cupido. Está me ouvindo?

Os olhos dele se abriram devagar e ele virou o rosto para Paelen.

– Graças a Deus é você – ele disse fracamente.

– O que aconteceu?

– Uns monstros apareceram, uns grandalhões de quatro braços, os tais Nirads. Eles nos atacaram.

– Emily e Pegasus ainda estão nos escombros? – Cupido perguntou.

Earl balançou a cabeça negativamente de leve e gemeu por causa do movimento.

– Não – ele respondeu engasgando. – Eu os vi sendo levados logo depois de o teto desabar.

Paelen soltou um palavrão e depois perguntou hesitante:

– Emily estava viva?

Earl respirou com dificuldade e depois sacudiu a cabeça.

– Não, pelo menos não em princípio. Quando o teto caiu, ela ficou embaixo da pior parte do desabamento. O enorme Nirad cor de laranja a desenterrou e então começou a urrar como um louco ao retirá-la, como se estivesse sofrendo com aquilo ou algo assim. Emily não era mais do que uma boneca de pano nos braços enormes da criatura, toda queimada e quebrada. Não havia erro, ela estava morta. Mas então começou a brilhar, como no dia em que eu atirei nela, bem ali nos braços do Nirad, e, depois de alguns minutos, ela se mexeu. Então os outros encontraram Pegasus e o fizeram andar. Eles acharam que eu estava morto.

Paelen olhou para Cupido.

– Um Nirad cor de laranja? Nós só vimos os de cor cinza. – Ele olhou de novo para Earl. – Esse Nirad laranja era o líder?

Earl tossiu e estremeceu de dor.

– Não tenho certeza. Quando eles chegaram, um grande javali selvagem e com asas estava atacando...

– Um javali com asas? Tem certeza? – Paelen perguntou.

Quando Earl assentiu, Cupido praguejou.

– É o Crisaor! O que ele está fazendo aqui?

– Não pode ser! – Paelen disparou. – Ele não nos trairia, ainda mais a favor dos Nirads. – Ele voltou a se concentrar em

Earl. – As asas eram marrons igual ao resto do corpo? Por acaso elas passavam até atrás de seu traseiro?

Earl assentiu.

– É esse mesmo, e, o que quer que ele seja, Pegasus não gostou nem um pouco. Os dois começaram a lutar com toda a fúria que possuíam, mas não pude ver muito porque um Nirad me pegou, quase quebrando todos os meus ossos e espremendo a vida para fora de mim. Emily tentou ajudar e acabou perdendo o controle das chamas, e então o teto desabou. – Earl começou a tossir e, quando parou, perguntou: – Vocês conhecem o javali?

– Crisaor é o irmão gêmeo de Pegasus – Paelen murmurou perdido em pensamentos.

As pálpebras queimadas de Earl se abriram inteiras.

– Pegasus tem um irmão gêmeo que é um javali?

Paelen fez que sim com a cabeça.

– Eles têm brigado a maior parte da vida, e agora parece que Crisaor se uniu aos Nirads contra o Olimpo.

– Mas o que ele quer com Emily? – Cupido ponderou.

Paelen deu de ombros.

– Não sei ao certo, mas isso é algo que me assusta. Emily é a fonte de todos os nossos poderes. Quem estiver com ela pode controlar o Olimpo.

Earl começou a tossir novamente.

– Você precisa de cuidados – Paelen falou. – E o Steve também.

Finalmente foi a vez de o agente T. falar.

– Se não querem ser capturados, não podem levar nenhum deles para o hospital. Assim que perceberem que o Earl sumiu, o primeiro lugar no qual irão procurar será lá.

– E o que podemos fazer? – Paelen perguntou.

– Me deixem aqui – Earl falou com a voz fraca. – Vão atrás de Emily e Pegasus.

– Você morrerá se o deixarmos aqui – disse Cupido. – Como você é humano, eu não me importaria, mas a Emily se importa, então deixar você e o pai dela para trás não é uma opção.

Eles colocaram Steve na ambulância ao lado de Earl e o agente T. se mostrou inestimável por causa de seus conhecimentos em primeiros socorros, conseguindo cuidar dos homens com os equipamentos médicos da ambulância. Earl ficou consciente tempo suficiente para oferecer a eles um lugar seguro onde se esconder. Ele e alguns amigos tinham uma cabana para caçadas que ficava na montanha.

O agente T. desligou o rastreador da ambulância para garantir que ninguém os seguisse e a conduziu em direção às montanhas. Exatamente como Earl havia dito, encontraram ali uma pequena cabana no meio da floresta cujo teto estava coberto de neve. Ela era isolada o bastante para oferecer esconderijo e proteção dos agentes da UCP em Tuxedo.

Assim que transferiram Steve e Earl para a segurança da cabana, Cupido e Paelen acenderam um bom fogo para esquentar o lugar. Earl ainda estava na maca e gemia um pouco.

– Como ele está? – Cupido perguntou.

O agente T. sorriu para ele antes de responder.

– Não muito bem. Ele precisa de um médico e Steve também. Apesar de a bala ter atravessado, não sei quais foram os danos causados. Ele pode estar com hemorragia interna.

– Se ele precisa de um médico, então é isso que terá – Paelen disse com confiança e depois franziu a testa. – O que é um médico e onde encontramos um?

Earl conseguiu dizer a eles que conhecia um médico que era confiável e passou o número do telefone ao agente T. antes de voltar a desmaiar.

Paelen se endireitou e olhou para os dois homens feridos naquela pequena cabana. Nunca tinha se sentido tão perdido em toda a sua vida, pois estava em um mundo estranho e pouco amigável, sem nenhuma ideia de como as coisas funcionavam; além disso, um de seus melhores amigos estava morto e a outra amiga estava desaparecida. Mais uma vez havia agentes da UCP atrás deles e tudo estava dando errado.

Ele olhou para Cupido e viu que o Olímpico alado não demonstrava nenhum dos medos que ele sentia; ele estava calmo e no controle enquanto anotava as informações que o agente T. passava sobre como entrar em contato com o médico. Apesar de tudo o que tinha sentido em relação a ele, Paelen agora começava a respeitá-lo.

– E onde achamos essas coisas que vocês chamam de telefone? – Cupido perguntou.

O agente da UCP deu de ombros, se desculpando.

– Não há mais muitos telefones por aí como antigamente, pois agora todo mundo tem celulares. Sinto muito, Cupido, mas meu celular ficou lá no Red Apple. – O agente fez cara de choro, mas continuou. – Podemos encontrar um na cidade. O problema é que agora os outros agentes estão procurando por mim e pela ambulância.

Cupido assentiu com a cabeça.

– Você não vai voltar até a cidade. Eu vou.

– E não vai sozinho – Paelen disse olhando para fora da cabana. – Logo vai escurecer. Se puder me carregar, podemos voar juntos para lá. Minhas sandálias aladas também ficaram no Red Apple e eu gostaria de tentar reavê-las se ainda não foram encontradas. Depois podemos usar o telefone para chamar o médico.

Cupido fez cara de quem ia protestar, mas então fechou a boca.

– Tudo bem, eu carrego você – respondeu. – Partiremos assim que escurecer.

Enquanto esperavam o sol se pôr, Paelen resolveu investigar a pequena cabana e, na cozinha, encontrou comida em lata e seca, mas havia muito pouco açúcar ou outras comidas de que os Olímpicos gostavam. Ele e Cupido não tinham comido nada desde aquela manhã e já sentiam sua força começar a diminuir.

No quarto havia um pequeno closet com roupas de inverno que podiam ajudá-los a se misturar com as pessoas normais. Paelen escolheu algumas e as levou para a sala. Depois, checou os bolsos do terno que estava usando e das outras roupas, mas não achou nada.

– Ainda temos algum dinheiro? – perguntou ao Cupido e ao agente T.

Cupido não encontrou nada, mas o agente T., que ainda usava as roupas de Joel, descobriu quase cinquenta dólares que tinham sobrado do prêmio de melhor fantasia, e entregou o dinheiro ansiosamente para Cupido.

– Acho que também devemos comprar mais comida – disse Paelen. – Tem bastante coisa para os humanos aqui, mas nada para nós. Não sei você, mas eu estou faminto e começando a me sentir fraco.

Cupido concordou com a cabeça.

– Eu também – disse ele indo até a janela. – Já escureceu. Vamos nos trocar e sair logo.

A neve finalmente parou de cair e as nuvens se abriram dando lugar a uma noite fria de céu estrelado. Quando tentaram partir, descobriram que pedir ao agente T. que ficasse lá era uma tarefa mais difícil do que esperavam. Ele os seguiu até a neve e implorou para que Cupido o levasse junto. Lágrimas caíram de seus olhos quando ouviu um "não".

Paelen começou a sentir simpatia pelo agente T., que estava destruído. Agora ele entendia por que Cupido relutara tanto em usar seus poderes naqueles homens.

– Não vamos demorar, prometo – Paelen assegurou gentilmente. – E tenho certeza de que Cupido ficaria muito grato se você ficasse com Earl e Steve e fizesse o máximo que pudesse para ajudá-los. – Paelen olhou para Cupido. – Isso faria você feliz, não é mesmo?

Cupido suspirou e baixou a cabeça.

– Sim, ficaria muito feliz se você fizesse isso por mim.

Aquilo pareceu satisfazer o choroso agente, que fungou e sorriu ainda meio triste.

– Farei só porque é para você. Vai ficar orgulhoso de mim. Apenas prometa que voltará em segurança.

– Voltaremos sim – Paelen prometeu.

Depois que o agente voltou para dentro da cabana, Cupido sacudiu a cabeça.

– Eu o destruí. Teria sido mais bondoso termos torturado os agentes do que usado meus poderes. Não sobrou nada dele.

– Você fez isso por Emily – Paelen falou. – Ela não teria deixado que os machucássemos. Tenho certeza de que quando tudo isso acabar, acharemos um jeito de restaurá-lo.

Cupido ficou vacilante enquanto se afastava da cabana. Era preciso encontrar uma área grande o bastante para que Cupido abrisse as asas e pudesse correr um pouco para conseguir voar carregando o peso de Paelen.

Não muito longe dali eles acharam o lugar perfeito. Cupido pegou Paelen nos braços e se lançou no céu escuro e frio da noite.

16

O Nirad segurava Emily firme em seus braços enquanto viajavam pela Corrente Solar. Nas duas outras ocasiões que tinha se aventurado lá ela estava montada em Pegasus e talvez tenha se distraído pelo movimento constante das poderosas asas dele ou apenas pelo fato de estar com ele. Mas desta vez, sem Pegasus para acalmá-la, a luz brilhante que a cercava e os sons de explosão que invadiam seus ouvidos a deixaram enjoada e com tontura. Ela olhou para o rosto do Nirad e pôde ver que ele também não estava gostando daquela experiência, pois seus olhos estavam fechados e a boca se crispava em uma linha reta. Se o barulho na Corrente Solar não fosse tão alto, Emily tinha certeza de que ouviria a criatura choramingar.

Finalmente eles imergiram no fundo de outra caverna escura, e os Nirads saíram para a luz do dia, que era cinzento e triste. Quando Emily se recuperou, olhou em volta para aquele mundo estranho e prendeu a respiração. O céu estava fechado e cheio de nuvens carregadas, mas mesmo assim o ar parecia seco a árido. O chão era preto e empoeirado, e cada passo dado levantava uma nuvem de poeira preta e cinza em volta dos pés. Não havia nenhuma planta ou árvore no local.

Não muito longe ela viu pequenas criaturas, parecidas com animais, correndo pelo solo seco. Elas tinham quase o mesmo tamanho e formato de um guaxinim, mas não tinham pelos, e sim uma pele de mármore cinza-escura e marrom. Os animaizinhos não demonstravam nenhum medo do desfile de enormes Nirads liderados pelo javali nervoso que passava por eles. Lá no céu, criaturas semelhantes a morcegos voavam em círculos. A envergadura de suas asas era quase tão grande quanto a de Pegasus e elas cortavam o ar parado com agilidade e graça. Ocasionalmente soltavam estranhos gritos que pareciam se propagar por quilômetros.

Ao olhar ao redor, Emily ainda não via nenhum sinal de vida vegetal. Não havia árvores, grama, ervas daninhas ou flores; parecia que nada crescia naquele solo preto e empoeirado. Logo se aproximaram de estruturas primitivas feitas de pedra.

As casas de pedra tinham quatro paredes sólidas e uma laje simples como teto. Ela quase esperou que um homem das cavernas saísse de lá, mas ficou surpresa ao ver o que percebeu ser uma Nirad sair de casa com uma criança nos braços.

A Nirad era quase tão grande quanto os machos, mas com garras e cabelos mais compridos, e também tinha quatro braços grossos e poderosos, que foram sacudidos no ar de forma ameaçadora quando viram Emily e Pegasus.

Para todos os lados que olhava havia Nirads parados e observando a escolta em volta dela. A maioria grunhia e sacudia para ela os punhos energicamente fechados, quando o grupo passava, mas alguns pareciam baixar a cabeça e desviar o olhar com tristeza.

– Então este é o seu mundo – disse ela com admiração para o seu Nirad.

Ele olhou para ela e assentiu.

– Você tem filhos?

Os olhos do Nirad pareceram se enevoar e Emily teve a certeza de ter visto muita tristeza neles quando ele assentiu novamente devagar.

– Eles estão em perigo?

Ele fez vários sons guturais baixos que Emily não entendeu, mas sua expressão era de dor e seriedade enquanto ele tentava explicar a situação.

– Desculpe, não consigo entendê-lo – Emily disse baixo. – Queria muito falar a sua língua, mas nem sei se vocês têm nomes. Você tem nome?

O Nirad fez que sim com a cabeça e abriu a boca emitindo um som profundo que repetiu devagar várias vezes.

– Tange – Emily tentou, torcendo para ter falado o mais próximo possível do som que ouvira. – Seu nome é Tange?

O Nirad assentiu.

Emily celebrou em silêncio aquele avanço. Ela e o enorme Nirad chamado Tange estavam se comunicando!

– Sabe por que estou aqui?

Tange fez que não com a cabeça, mas depois apontou para a frente.

Emily se virou para tentar ver por entre a linha de Nirads que a cercavam. Tange a levantou e ela viu o destino deles. Era um palácio de mármore branco, alto e que parecia completamente deslocado naquela paisagem escura e triste. Ao observar os pilares altos e os degraus de mármore branco que levavam até a magnífica entrada, ela imediatamente reconheceu o design. Parecia uma réplica do palácio de Júpiter construída no mundo dos Nirads. Ao longo da estrada que levava ao palácio havia uma longa fila de estátuas que pareciam servir como guardas de honra.

– Aquele palácio é do Olimpo! – Emily exclamou. – O que faz aqui? – Ela olhou novamente para Tange. – Júpiter está aqui?

Antes que Tange pudesse responder, outro Nirad cor de laranja se aproximou deles e grunhiu ferozmente. Seus olhos se fixaram em Emily e ele sacudiu a cabeça negativamente, soltando uma palavra dura para ela. A mensagem era clara: pare de falar.

Emily viu um ódio puro e assassino arder no rosto do Nirad. Ele não hesitaria em matá-la se tivesse a chance, e Emily se encolheu para mais perto de Tange, imaginando o que ela e Pegasus tinham feito para causar tanta raiva nos Nirads.

Durante toda a jornada até o palácio branco Emily viu evidências do ódio dos Nirads quando multidões se reuniam para vê-la e grunhir para ela. Quando alguns Nirads da cor cinza tentaram se aproximar, Tange e os outros de cor laranja os afastaram com grunhidos de ameaça e punhos erguidos. O mesmo aconteceu quando outra multidão tentou jogar pedras em Pegasus e os Nirads laranja evitaram que o garanhão fosse acertado.

– Por que todos vocês nos odeiam tanto? – Emily perguntou baixinho para Tange.

Ele não disse nada e continuou carregando-a para o palácio. Quanto mais se aproximavam, mais Emily via estátuas alinhadas no caminho; algumas estavam de costas para a estrada e umas poucas tinham sido derrubadas e jaziam quebradas.

Observando melhor a área, Emily percebeu que devia haver centenas de estátuas de Nirads, se é que não eram milhares, e elas tinham apenas uma coisa em comum: quem quer que as tivesse esculpido tinha colocado nos rostos uma expressão de dor e terror. Ninguém sorria ou estava parado em uma posição normal. Todos pareciam terem sido congelados andando ou correndo, e nenhum deles parecia feliz. Todos tinham a mesma expressão horrível e cheia de dor que levou Emily a finalmente desviar o olhar. A visão daqueles rostos tornava aquela jornada ainda pior.

Chegando aos degraus que levavam à entrada do palácio, Emily viu o javali alado subir na frente dos outros. Dois Nirads laranja guardavam a porta e, quando o javali se aproximou, as pesadas portas de mármore foram abertas e o grupo começou a entrar.

Quando Tange começou a carregar Emily escada acima, ela se endireitou para olhar para trás.

– Deixe-me dar uma olhada – ela pediu.

Tange olhou para ela e então a levantou mais para que pudesse ver por cima de seus ombros grossos. A vila Nirad se espalhava em volta do palácio branco, com milhares de construções de pedra escura e ainda mais estátuas em todas as direções. Era quase um filme em preto e branco. Não havia cores naquele mundo, apenas tons variantes de cinza, preto e marrom. O único brilho daquela área toda vinha dos Nirads cor de laranja. Até mesmo as estranhas criaturas no céu tinham tons de cinza e preto. Emily olhava para elas e imaginava se era assim que os pterodátilos se pareciam.

Mais uma vez ela notou a ausência de vida vegetal e ficou imaginando o que os Nirads comiam. Então se lembrou da boca enorme de Tange e de seus dentes muito afiados e sentiu arrepios de puro terror. Será que comiam carne? Se sim, o que ou *quem* estaria no cardápio deles?

Antes que o pânico se instalasse, Emily foi carregada para dentro do palácio. O saguão de entrada era enorme e feito com o mesmo mármore branco de todas as estruturas do Olimpo, mas, diferentemente do palácio de Júpiter, não havia arte ou beleza adornando as paredes, e sim mais estátuas congeladas em movimento.

Enquanto seguiam em frente, Emily ouviu gritos estridentes e aterrorizantes vindos de uma das salas daquele saguão. Aquele som perturbador abalou ainda mais seus nervos, que já estavam no limite, e ela não queria saber quem ou o quê estaria fazendo aquele barulho terrível.

Percebendo que estava sendo levada àquele lugar, Emily se debateu nos braços de Tange.

– Não, Tange, por favor! Não quero entrar aí!

Pegasus começou a relinchar e a gritar atrás dela. Emily podia ouvir seus cascos batendo no chão liso de mármore enquanto ele investia contra os Nirads laranja que o direcionavam para a frente.

– Traga-a aqui, Crisaor! – demandou uma voz alta e grave. – Queremos ver o Fogo do Olimpo!

Emily foi carregada para lá, e, quando Tange entrou no enorme salão, os Nirads em frente a eles foram abrindo caminho, dando a ela uma visão clara do javali alado, que seguia em direção aos donos daquelas vozes tão estridentes.

Emily começou a gritar.

17

Foi curto o voo da cabana até a cidade. As luzes da rua já estavam acesas e o cheiro de fumaça das incontáveis lareiras que esquentavam as casas estava no ar.

Quando planaram silenciosamente sobre os destroços do Red Apple, Paelen ficou nervoso ao ver que a área estava coberta por uma grande tenda com vários soldados fortemente armados que faziam a patrulha do local. Não havia nenhuma luz dentro da tenda; provavelmente não havia ninguém ali.

Cupido planou perto da região e voou silenciosamente por cima das árvores atrás dos destroços do restaurante; achou uma clareira e pousou suavemente. Paelen lhe entregou as roupas e ele começou a se vestir.

– Eu odeio essa parte – Cupido reclamou ao vestir a calça e colocar as asas dentro dela. Depois, pegou a camisa vermelha de flanela. – Tem ideia do quanto isso é desconfortável?

Paelen se preparou para mais uma longa série de reclamações do Olímpico alado.

– Bom, é melhor do que deixar que o vejam e deem o alarme. Temos de entrar ali sem chamar atenção.

– Não acho que o fato de eles verem ou não minhas asas faça alguma diferença. Teremos de lutar de qualquer jeito para entrar.

– Você sempre poderá usar seus poderes...

Cupido levantou um dedo.

– Nem pense em sugerir isso, já é ruim o bastante com o agente T. Não usarei meus poderes nesses homens; seria muito mais bondoso de nossa parte matá-los agora mesmo.

– Não podemos fazer isso! – Paelen disse chocado. – Eles não fizeram nada para nós. Faremos o mesmo que naquele festival e os deixaremos inconscientes. Emily jamais nos perdoaria se soubesse que matamos homens inocentes.

– E você contaria a ela? – Cupido perguntou.

– Sim, contaria.

– Então você é um tolo. Vamos tentar do seu jeito por enquanto, mas, se causarem algum problema para mim, não hesitarei em matá-los.

Paelen ficou chocado com a declaração cruel de Cupido.

– Tenho uma ideia – ele falou. – Eu costumava entrar escondido o tempo todo no palácio de Júpiter e tenho certeza de que posso fazer o mesmo aqui. Quando estiver lá dentro, tudo o que preciso fazer é encontrar as sandálias.

Cupido pareceu ficar em dúvida, mas satisfeito por poder esperar do lado de fora.

– Está bem, darei um tempo a você, mas se houver qualquer problema eu lutarei.

Aquilo era o máximo que ele poderia esperar de Cupido. Usando toda sua camuflagem e experiência como ladrão, Paelen cruzou o estacionamento e passou por dois guardas sem ser visto. Ele podia sentir, muito mais do que ver, que dois outros guardas logo se aproximariam pelo outro lado com sua patrulha constante daquela área fechada.

Depois de uma corrida curta e silenciosa, Paelen chegou ao lado da tenda. A abertura principal ficava do outro lado, mas era impensável ir por lá, já que havia uma guarita e dois soldados enormes e mal-encarados estavam sentados em uma mesa, com armas na mão e parecendo prontos para qualquer coisa.

Paelen se agachou e tentou levantar a lona, mas descobriu que ela tinha sido presa ao solo em alguns centímetros e rasgá-la faria muito barulho. Ele gemeu ao perceber o que deveria fazer.

Verificando a posição dos soldados que patrulhavam, Paelen usou seus poderes para manipular seu corpo, e, a cada *crack* e *pop* que seus ossos faziam, ele temia ser descoberto. Logo ficou magro demais para caber nas roupas e, se esticando um pouco mais, ficou com o corpo semelhante ao de uma cobra, ideal para adentrar lugares muito apertados.

Paelen levantou o máximo que pôde a ponta da tenda e deslizou facilmente para dentro. Depois retornou o corpo ao formato normal e ficou em pé em meio aos destroços do que tinha sido o Red Apple.

Apesar da completa falta de luz, ele conseguia enxergar perfeitamente e viu que estava na cozinha. Paelen foi até onde ele, Joel e Cupido tinham se trocado e se preparado para o ataque às instalações da UCP, mas tentou não mergulhar nas lembranças daquele resgate desastroso, afinal, estava ali para encontrar suas sandálias e nada mais.

O cheiro acre do fogo apagado recentemente enchia suas narinas enquanto andava por sobre aqueles destroços queimados; ele praguejava sempre que algo se quebrava com seu peso, mas ficou feliz ao descobrir que a área que procurava estava intocada. Ela ainda não tinha sido examinada.

– Sandálias, onde estão vocês? – ele perguntou baixinho olhando em volta.

Houve um pequeno movimento nos destroços e os sentidos aguçados de Paelen captaram que vinha da esquerda.

– Sandálias?

Mais uma vez houve um movimento. Paelen se lembrou do que Mercúrio comentou ao pedir que ficasse com as sandálias: que elas *não pertenciam* a ele, e sim *deviam ficar* com ele, e de repente aquele comentário fez sentido. A devoção inicial delas ao Mensageiro do Olimpo, e agora a ele, era porque elas estavam vivas. Elas respondiam à sua voz e, enterradas embaixo dos destroços, tentavam voltar para Paelen.

– Onde vocês estão, sandálias? – perguntou baixinho.

Não muito à frente, uma pilha de destroços se moveu. O barulho do movimento fez o coração de Paelen acelerar. E se os soldados lá fora tivessem ouvido? Ele escalou por cima dos escombros rapidamente até o local da forma mais silenciosa possível. Seus nervos estavam à flor da pele.

– Sandálias, onde estão? – chamou baixinho de novo.

O movimento estava bem à sua frente, na área coberta por um grande pedaço do teto queimado. Paelen segurou na borda, levantou, olhou embaixo e, com um profundo suspiro de alívio, viu suas sandálias entre as cinzas.

Paelen as pegou rapidamente, abaixou o pedaço de teto e voltou até a lateral da tenda. Depois, esticou seu corpo e deslizou para o lado de fora, do mesmo modo como havia entrado, e encontrou suas roupas ainda esperando por ele.

Os guardas também.

Enquanto se levantava e retornava ao seu tamanho e à forma normais, luzes muito fortes foram acesas e brilharam dolorosamente em seus olhos.

Dois soldados armados se apressaram em sua direção.

– Pare ou vamos atirar!

Paelen mal teve tempo de pensar antes que as mãos pesadas dos guardas segurassem seus braços e o arrastassem para a frente.

– Solte esses sapatos! – outra voz ordenou.

– São sandálias! – Paelen corrigiu. – E se as quiser vai ter de tirá-las de mim!

Quando outros soldados avançaram, todos ouviram um grito de fazer o sangue gelar. Com os braços cheios de pedras, Cupido mergulhou do céu e começou a atirá-las nos soldados desavisados.

Depois do primeiro rasante, Cupido se afastou, girou no céu e partiu para uma segunda investida, atirando mais pedras nos soldados indefesos. Eles estavam preparados para um ataque por terra, mas ninguém os avisara a respeito de adolescentes alados e enraivecidos vindos de cima.

Enquanto os soldados se dispersavam e tentavam levantar as armas, Cupido pousou e os atacou com toda a força olímpica que possuía. Paelen aproveitou para soltar seus braços do homem próximo a ele; depois o derrubou no chão e, com um soco, deixou-o inconsciente.

Sem pensar em nada e apenas agindo, Paelen levantou outro soldado e o lançou por cima do estacionamento em direção às árvores. Os Olímpicos estavam na luta de suas vidas e sabiam tudo o que estava em jogo. Eles não podiam ser capturados. Com Cupido lutando ao seu lado, nenhum soldado teve tempo de atirar e, não muito tempo depois, todos estavam no chão.

– Pegue as roupas e as sandálias! – Cupido ordenou. – Temos de sair daqui antes que cheguem mais homens!

Paelen seguiu Cupido até as árvores. Parando apenas para se vestir, ficou agradecido por sentir as sandálias de volta ao lugar que pertenciam: seus pés.

– Precisamos voar – disse Cupido enquanto pegava suas próprias roupas. – E ainda temos de dar aquele telefonema.

Cupido voou primeiro e Paelen ordenou às sandálias que o seguissem. Ele entrou em êxtase quando viu as pequenas asinhas delas erguerem-no tão facilmente.

Minutos depois da fuga, os dois ouviram abaixo deles o som de sirenes e viram luzes piscando de carros de polícia, caminhões militares e veículos da UCP que surgiam na estrada e seguiam em alta velocidade para o Red Apple. Dessa vez foi por pouco.

Paelen voou mais perto de Cupido.

– Devem ter dado o alarme. Não podemos ir até a cidade para telefonar. Melhor tentarmos o lugar onde Joel e eu compramos comida; eles estão sempre abertos e é capaz de acharmos um telefone lá.

Cupido concordou e deixou que Paelen mostrasse o caminho. Ele ordenou às sandálias que o levassem ao supermercado e os dois ficaram agradecidos ao verem que ficava do outro lado da cidade, bem longe do Red Apple e das autoridades reunidas ali.

Após pousarem a uma curta distância, caminharam de volta até a loja. Paelen pulou quando as portas deslizaram para os lados assim que se aproximaram. Ele ainda não entendia como sabiam que estava ali. Quem sabe uma pequena ninfa não as controlasse?

– Vamos – Cupido disse irritado. – Não temos tempo para brincar; precisamos achar um telefone e voltar para a cabana.

– Quem está brincando? – Paelen perguntou enquanto atravessava com medo aquelas portas misteriosas, ainda desconfiado de que elas se fechariam de repente em cima dele.

Lá dentro, Paelen mais uma vez foi atingido pelas coisas, pelos sons e pelos cheiros daquele supermercado muito iluminado. Havia muito açúcar ali, mas também havia muito mais gente do que quando ele e Joel tinham feito compras, e isso o deixou nervoso.

– Está sentindo esse cheiro, Cupido? – Paelen perguntou enquanto seu estômago começava a roncar.

Cupido assentiu.

– Primeiro vamos ligar e depois precisamos comer. Não como ambrosia faz tempo e já estou me sentindo fraco.

Os dois Olímpicos ficaram parados na entrada do supermercado, imaginando como era um telefone e onde poderiam encontrá-lo.

Cupido finalmente se moveu, indo em direção a uma jovem atraente que carregava várias sacolas de compras. Ele sorria radiante para ela. Paelen o viu fazer o que sabia fazer bem. O Olímpico alado não usou seus poderes, pois nem precisava. Só o seu sorriso já foi suficiente para corar as bochechas da mulher.

– Pode nos ajudar, por favor? – ele perguntou com sua voz mais encantadora. – Precisamos dar um telefonema, mas não consigo achar o telefone.

As bochechas da mulher ficaram ainda mais vermelhas. Ela pôs a mão no bolso e tirou um celular.

– Você pode usar o meu se quiser.

Cupido pegou o pequeno aparelho e olhou para Paelen intrigado. Quando o outro deu de ombros, ele olhou de volta para a mulher.

– Você se importa de me mostrar como eu uso isto?

– Nem um pouco – respondeu. – Qual é o número do telefone?

Cupido deu a ela o pedaço de papel com o telefone do médico. A mulher discou e segurou o aparelho encostado em sua orelha.

Depois de um momento ela sacudiu a cabeça.

– Está caindo direto na caixa postal. Quer que eu deixe um recado?

– Isso quer dizer que não conseguiu falar com o médico? – Cupido perguntou.

– Desculpe – ela respondeu. – Quer que eu deixe um recado? Posso dar o meu telefone e então esperamos juntos que ele ligue de volta. Que tal? – A proposta em sua voz doce era bem direta e Paelen mais uma vez ficou impressionado com o poder que Cupido tinha sobre as mulheres.

Cupido sorriu.

– Não, muito obrigado. Talvez em minha próxima visita, quando tivermos mais tempo.

O desapontamento no rosto da moça era óbvio, enquanto guardava o celular no bolso e ia embora.

Quando se foi, o sorriso desapareceu do rosto de Cupido.

– Nada de médico; vamos ter de nos virar sozinhos. – Cupido farejou o ar novamente. – Vamos, Paelen, este lugar está cheio de comida e estou faminto. É hora de comer.

Eles foram até a entrada e pegaram cestas. Cupido se remexia a cada passo que davam.

– Eu odeio isso. Minhas penas ficam roçando a parte de trás das minhas pernas.

– Não vamos demorar – Paelen prometeu. – Só pegaremos o que precisamos e vamos embora.

Seguindo seus narizes, os dois Olímpicos chegaram a um corredor cheio de doces, chocolates e bolachas. Enquanto enchiam as cestas, Paelen percebeu que várias crianças se afastavam de seus pais para seguir Cupido. O Olímpico alado olhou para o pequeno grupo, mas em crescimento, e tentou afastá-los, mas eles se recusaram a ir embora. Mais à frente no corredor, um menino de aproximadamente quatro anos se soltou da mãe e correu direto para Cupido, abraçando as pernas dele e não querendo soltar.

Paelen riu da expressão atormentada no rosto de Cupido, que se esforçava para se desvencilhar da afetuosa criança.

– Volte para sua mãe, pequeno humano! – ele disse alto, mas quanto mais tentava empurrar o menino, mais a criança protestava e se recusava a se soltar.

Paelen puxou o menino bem na hora em que a mãe chegou, com o rosto vermelho de vergonha e se desculpando pelo comportamento estranho do filho.

– Senhora – Cupido falou –, cuide do seu filho, por favor!

Enquanto ela arrastava o filho, que gritava, para longe, Cupido olhou para o grupo de crianças que se aproximava.

– Voltem para seus pais. Não tenho nada para vocês.

Mas eles se recusaram a ir embora. Paelen rasgou um pacote de minichocolates e deu para as crianças.

– Vão agora, meus jovens, seus pais devem estar procurando por vocês. Vão porque Cupido e eu precisamos comer.

As crianças aceitaram o presente, mas não se moveram. Depois, os seguiram a certa distância, acenando e chamando Cupido.

– Há só uma coisa que odeio mais do que os humanos: – Cupido reclamou enquanto abria um pacote de cookies com pedaços de chocolate – os humanos jovens.

– Odeia nada! – Paelen argumentou enchendo a boca de chocolate. – Se odiasse, teria expulsado o menininho.

Cupido olhou sério para ele.

– Não queria atrair atenção indevida para nós; só isso.

– É claro – Paelen disse rindo. – Acredito em você. Ninguém mais acreditaria, mas eu acredito.

Os dois continuaram comendo enquanto andavam pelo longo corredor de doces, sendo ainda seguidos pelo grupo de crianças. Na metade do corredor seguinte, foram parados por um segurança da loja.

– Vão ter de pagar por tudo isso – o guarda esbravejou –, e pelos chocolates que deram para as crianças lá atrás também!

A boca de Paelen estava cheia de comida, mas ele assentiu com a cabeça.

– Temos dinheiro – ele murmurou. – Vamos pagar por tudo.

– Então deixem para comer quando chegarem em casa – o guarda retrucou. – Não permitimos que as pessoas biquem enquanto estão comprando.

Aquele comentário fez as asas de Cupido vibrarem de raiva. Ele ficou ereto e seus olhos faiscaram.

– Quem bica são os pássaros – ele corrigiu. – Nós estamos comendo. São coisas diferentes.

– Não para mim – o guarda respondeu. – Agora peguem suas cestas e me sigam, está na hora de irem embora.

Paelen começou a segui-lo, mas Cupido se recusou.

– Não terminamos ainda e iremos embora quando estivermos prontos, nem um momento antes. Nem você nem qualquer outro humano pode nos obrigar a fazer diferente.

– Ouça, garoto – disse o guarda, chegando bem perto e dando um cutucão com o dedo no ombro de Cupido –, você vai embora quando eu disser para ir, e estou dizendo para ir agora!

Em um movimento rápido demais para ser seguido, Cupido acertou o guarda com um soco e o derrubou no chão. As crianças gritaram e foram em frente, pulando em cima do guarda e ordenando que ele deixasse Cupido em paz.

Enquanto o guarda se encolhia no chão, Cupido olhou para ele e começou a gritar.

– Já cansei de vocês, humanos, me dizerem o que fazer! Já falei que vamos embora quando terminarmos e nem um momento antes! – Ele pegou a cesta de compras e continuou andando pelo corredor como se nada tivesse acontecido.

– É melhor irmos embora – disse Paelen, olhando para o grupo de crianças em cima do guarda. Em volta delas, outros consumidores olhavam chocados. – As pessoas estão começando a reparar em nós.

– Deixe que reparem! – Cupido soltou enquanto abria outro pacote de cookies. – Não fiz uma refeição decente desde que deixei o Olimpo, estou faminto, minhas asas estão me deixando louco e não estou com cabeça para lidar com humanos, grandes ou pequenos!

Paelen olhou em volta, para a multidão que se formava. De repente, algo que Emily falou surgiu em sua mente.

– Cupido, lembra o que a Emily falou? O agente O. contou a ela que desde que se mudou para cá, a única diversão dele era ir ao Festival da Floresta Assombrada.

– E daí? – Cupido perguntou jogando migalhas em Paelen enquanto esticava a mão para pegar mais comida.

– Isso quer dizer que ele mora nesta pequena cidade, e que também deve comprar comida aqui, pois este é o único lugar grande da região. E se outros agentes da UCP e suas famílias fizerem compras aqui?

Cupido parou, olhou para a multidão que se reunia em volta do guarda e finalmente sacudiu a cabeça.

– Eles estão ocupados demais com a destruição das suas instalações e do Red Apple para virem aqui. Tenho certeza de que estamos seguros.

Cupido mal tinha terminado a frase quando viram dois homens parados no final do corredor. Ambos usavam calça jeans e casacos esportivos, mas tinham sacado suas armas e as apontavam para eles. Aquela postura e expressão facial eram facilmente reconhecíveis.

– Parados! – gritou o agente da UCP.

– Talvez você tenha razão – Cupido murmurou.

– Preferia estar errado – disse Paelen, olhando para trás e vendo vários soldados armados se posicionarem na outra ponta do corredor. Eles apontavam as armas sem se preocupar com as crianças que circulavam ao redor de Cupido.

– Soltem suas cestas! – gritou o agente no comando. – Façam isso com calma e devagar!

– Há crianças aqui – Paelen os alertou. – Por favor, abaixem suas armas e as deixem sair antes que se machuquem!

– Nós que damos as ordens aqui. Agora deitem no chão, os dois.

– Está cometendo um grande erro, *humano* – disse Cupido, andando para trás devagar, em direção ao grupo de crianças assustadas. Enquanto fazia isso, tirou o casaco, arrancou a camisa e libertou suas asas, abrindo-as protetoramente em volta das crianças, que tinham se reunido perto dele. – Seria bom para vocês que deixassem as crianças saírem agora. Não serei muito amigável se uma delas for ferida por causa de vocês.

Paelen foi para o lado de Cupido e o ajudou a bloquear as crianças das armas dos soldados. Ele podia ouvir os gritos chocados e os comentários dos adultos próximos a eles. Todos pareciam pensar que Cupido era um anjo.

– Ninguém vai a lugar algum, Cupido – disse uma voz muito familiar: o agente O. surgia na ponta do corredor. Suas pernas ainda estavam enfaixadas por causa das queimaduras feitas por Emily e ele ainda usava muletas. Seus olhos pousaram em Paelen. – Achou mesmo que não estaríamos vigiando este lugar, Paelen? Sabemos muito bem da necessidade que vocês têm de açúcar. Fiquei surpreso por demorarem tanto para virem aqui.

Estão cercados e não fugirão desta vez. Agora me digam: onde estão a Emily e o Pegasus?

– Bem longe do seu alcance! – Paelen gritou, sentindo a raiva crescer. – Não vai nos pegar de novo, agente O.!

Algumas das crianças começaram a chorar de medo e, sob as asas protetoras de Cupido, se abraçaram mais apertado.

– Deixem estes jovens irem embora antes que minha paciência acabe – Cupido alertou. – Eles não são parte disso e não devem presenciar o que acontecerá a seguir.

– E você se preocupa tanto assim com crianças humanas? – o agente O. desafiou.

– Pelo visto, mais do que você! – Paelen disparou. – Mas me diga uma coisa: você atiraria mesmo na gente com estas crianças aqui? Está tão desesperado assim para nos pegar que as sacrificaria?

Paelen viu hesitação no rosto do agente O. Uma multidão de pessoas acompanhava tudo. O agente O. poderia ser teimoso e obcecado com a captura deles, mas não era bobo, então fez um aceno com a mão para que os soldados baixassem as armas.

– Está bem – ele falou. – Deixem as crianças saírem.

Paelen olhou para trás e viu os soldados bloqueando o fim do corredor, seguindo a ordem; depois olhou para as crianças e apontou para os soldados.

– Vão para lá, crianças, e encontrem seus pais.

As crianças hesitaram e olharam para Cupido com os olhos cheios de lágrimas.

– Está tudo bem, pequeninos; vocês estão seguros – disse ele docemente, enquanto fazia carinho na cabeça de uma menininha. Depois, Cupido olhou para os outros adultos no corredor.

– Levem as crianças para um lugar seguro, por favor, e as ajudem a encontrar seus pais.

Quando os outros clientes se aproximaram para pegar as crianças, Cupido lançou um olhar ameaçador para o agente O.

– Você as deixará sair daqui ilesas. Esta luta é entre nós e elas não têm nada a ver com isso.

Com a loja cheia de testemunhas, o agente O. concordou com relutância e, finalmente, ordenou que os soldados direcionassem o público para fora da loja. Quando as crianças começaram a sair do corredor, Cupido sussurrou:

– Quando eles saírem, teremos de agir rápido. Se nos separarmos, você já sabe para onde ir.

– Boa sorte – disse Paelen quando a última criança foi escoltada para fora.

– Isso não tem nada a ver com sorte! – Cupido gritou e, com um movimento rápido, soltou sua cesta e atacou os agentes.

18

Cupido partiu em direção ao fim do corredor. Enquanto corria, as pontas de suas asas passavam derrubando comida das prateleiras. A multidão atrás dos agentes começou a gritar ao ver que o Olímpico raivoso atacaria naquela direção.

Atrás deles, Paelen ouviu os soldados se preparando para atirar, então se virou e jogou sua cesta de compras contra eles.

– Sandálias, levantem-me!

Uma vez no ar, ele ordenou que elas o levassem para a frente. Então, Paelen passou derrubando as comidas do alto da prateleira, vendo-as cair em cima dos soldados surpresos.

Voando por cima das prateleiras para o corredor seguinte, Paelen encontrou pilhas e mais pilhas de comida enlatada, então pegou um monte delas e as jogou nos soldados. Ouviu tiros atrás de si e sentiu uma forte picada nas costas. Ao se virar, viu dois agentes da UCP atirando contra ele. As balas não causavam muitos danos, mas machucavam bastante.

Gritando de raiva, Paelen voou a toda velocidade em direção aos agentes e jogou os dois contra uma pilha de feijões assados, lançando, assim, latas para todos os lados. Depois, ordenou às sandálias que o levantassem bem alto e seus olhos procuraram por Cupido. Ele ouviu tiros à direita e viu Cupido caindo. Quando tentou se levantar, foi derrubado e mantido no chão por incontáveis soldados que pulavam em cima dele.

Paelen reagiu imediatamente pegando várias latas de feijão e ordenando às sandálias que o levassem até Cupido. Ele então jogou as latas com a mesma habilidade que tinha demonstrado com o palhaço no festival. Os soldados não tinham como se defender da chuva de latas de feijão assado e então soltaram o prisioneiro para proteger a cabeça. Cupido ficou em pé em segundos e logo já estava de volta à luta.

Quando os feijões acabaram, Paelen procurou outras garrafas e latas que pudesse jogar. Logo outros soldados vieram correndo pelo corredor, com as armas apontadas. Paelen gritou furioso e usou sua força para tombar um pouco a prateleira e derrubar tudo o que tinha nela, enterrando os homens sob vários itens do mercado.

Ao se mover para voltar para perto de Cupido, Paelen ouviu outro disparo e sentiu outra picada forte do lado da cabeça. Quando se virou, viu que o agente O. atirava, mas não para capturá-lo. O agente estava tentando matá-lo!

A dor repentina trouxe de volta as memórias do que os agentes J. e O. tinham feito a ele nas instalações da Ilha do Governador. Quando se lembrou de que eles fizeram o mesmo com Joel, suas memórias se transformaram em raiva.

– Sandálias, levem-me até o agente O.!

Ao ouvir aquela ordem, os olhos do agente se arregalaram de medo enquanto ele se esforçava para tentar fugir, mas as grossas bandagens em suas pernas não permitiam que ele se movesse com agilidade. Em um instante Paelen estava sobre o agente O., descontando nele toda a raiva que sentia.

O Olímpico não via mais nada a sua volta; eram apenas ele e o agente O. Ele não viu Cupido vencendo a luta com os guardas e nem os outros agentes chegando para tentar tirá-lo de cima do chefe deles. Tudo o que ele via era sua fúria.

Um barulho alto de vidro se quebrando finalmente chamou sua atenção. Paelen levantou a cabeça e viu Cupido voando a toda velocidade através de uma grande janela de vidro que havia na parte da frente da loja. Aquele som o trouxe de volta à realidade: viu o agente O. inconsciente e os homens tentando segurá-lo.

– Isso é pelo Joel! – Paelen gritou dando um último soco na boca do agente O. – Sandálias, sigam Cupido!

As sandálias reagiram imediatamente. Apesar de todos os homens que o seguravam, Paelen foi levantado no ar e, com vários soldados pendurados em suas pernas, voou em direção à janela quebrada. Quando o último deles o soltou, passou pela abertura em direção ao céu noturno.

Vários sons de tiro seguiram Paelen enquanto ele procurava por Cupido no céu e, do alto, podia-se ouvir o som pesado de helicópteros que iniciavam uma perseguição. Paelen olhou para trás e viu as máquinas terríveis se aproximando.

– Mais rápido! – ele gritou para as sandálias. – Voem mais rápido!

À frente, viu outros dois helicópteros surgirem, mas, como eles se moviam para longe, percebeu que estavam perseguindo Cupido. Ele viu luz e fagulhas de suas armas disparando no céu escuro contra o Olímpico alado.

Mas Paelen não podia se preocupar com Cupido, pois outros helicópteros militares estavam na sua cola e se aproximando; então ele se virou.

– Vamos ver o quão alto vocês podem voar. Sandálias, vamos para o alto!

Com uma mudança repentina de direção, as sandálias levaram Paelen diretamente para cima. Os helicópteros tentaram segui-lo, mas ele se movia rápido demais.

– Mais alto! – ordenou. – Me levem mais para cima!

O ar ficou dolorosamente rarefeito e Paelen sentiu sua respiração se tornar mais difícil, mas nada que o impedisse de respirar. Ao olhar para baixo, viu os helicópteros que tentavam segui-lo desistirem e voarem para outro lugar.

– Isso! – ele gritou e socou o ar em comemoração. Depois olhou para baixo e viu que os helicópteros que iam embora foram, na verdade, se juntar aos outros que perseguiam Cupido, mas os dois primeiros estavam parados no céu sobre as árvores. De repente, Paelen teve um mau pressentimento. Os dois helicópteros que o perseguiam também passaram a sobrevoar a mesma área que os outros e suas luzes de busca foram acesas e começaram a iluminar as árvores e a neve do chão abaixo. Estavam procurando Cupido.

– Sandálias, levem-me até Cupido, mas com muito cuidado.

As sandálias desceram e, bem longe das luzes, entraram na floresta e voaram um pouco acima da neve intocada, em direção à área onde as luzes procuravam Cupido.

Um pouco à frente ele viu uma enorme sombra escura na neve. Mesmo antes de chegar lá o coração dele começou a acelerar e sua boca ficou seca: encontrara Cupido. O Olímpico alado tinha sido abatido no céu e caído. Ele estava deitado, sem se mover e em uma posição estranha. Uma asa estava virada para trás e a outra estava presa embaixo do seu corpo. A neve em volta de Cupido começava a ficar vermelha com seu sangue.

Acima deles as luzes continuavam a investigar a área. Por enquanto não podiam ver Cupido ou ele, mas isso era só uma questão de tempo. Receoso, Paelen pôs a mão no pescoço dele e viu que ainda tinha pulso e estava respirando. Quando as luzes incessantes chegaram mais perto, Paelen pegou Cupido nos braços.

– Levem-me para o Olimpo! – ele ordenou às sandálias. – E rápido!

19

Paelen segurou Cupido firme nos braços quando as sandálias encontraram uma abertura nas árvores e subiram em direção ao céu escuro. Elas tentaram ganhar velocidade o bastante para entrar na Corrente Solar, mas o peso combinado dos dois Olímpicos era demais.

Depois de várias tentativas sem sucesso, Paelen foi forçado a desistir, ordenando às sandálias que os levassem de volta à cabana. Quando chegaram à varanda, Paelen foi em frente e abriu a porta com um chute.

– Agente T. – ele chamou –, Cupido foi ferido!

– Cupido! – o agente T. gritou correndo até ele, com o rosto contorcido de dor. – O que aconteceu?

– Foram umas máquinas voadoras – Paelen explicou. – Elas tinham umas armas grandes e estavam nos perseguindo. Quando perceberam que não poderiam nos alcançar, atiraram em Cupido e o derrubaram. Ele caiu com tudo e acho que quebrou uma asa.

O agente T. correu e limpou a mesinha de centro.

– Coloque-o aqui – disse ele tremendo. – Quando o médico virá?

– Não conseguimos encontrá-lo – Paelen respondeu, levando Cupido para a mesa. – Somos só nós.

Paelen colocou Cupido na mesa e, com o agente T., inspecionou os ferimentos. As costas e as asas estavam cobertas de sangue e vários furos de bala foram encontrados. E Paelen tinha razão, a asa esquerda estava quebrada por causa da queda.

– Armas pequenas não podem nos ferir – Paelen comentou levantando a asa boa de Cupido para olhar embaixo –, mas veja o que aquelas máquinas aladas fizeram. Ele quase foi feito em pedaços!

– Ele precisa de um médico! – o agente T. insistiu enquanto pegava os curativos e o antisséptico. – Ele está sangrando e vai morrer sem um médico. Posso tentar diminuir o sangramento, mas não tenho as habilidades necessárias para ajudá-lo.

– Não consegui falar com o médico – Paelen insistiu. – E um médico humano não conseguiria ajudá-lo, de qualquer forma. Tentei carregá-lo para o Olimpo, mas as sandálias não conseguiram suportar o nosso peso... – Paelen fez uma pausa e seus olhos se arregalaram. – Espere um pouco. Ambrosia! Cupido precisa de ambrosia! É ela que nos mantém saudáveis e fortes no Olimpo e é o que o ajudará a se curar! – Ele olhou para o pai de Emily no sofá e para Earl na maca. – A ambrosia pode ajudar todos aqui a se curarem.

– Então por que diabos está aí parado? – o agente T. perguntou furioso, empurrando Paelen para a porta. – Saia logo daqui! Voe para o Olimpo e traga ambrosia! Salve o meu Cupido!

20

Emily não conseguia parar de gritar. Mesmo depois que Tange pôs a mão em sua boca, os gritos continuaram saindo. Seus olhos estavam arregalados de terror e ela não conseguia desviar das duas criaturas sentadas em um par de tronos em uma parte um pouco elevada do chão. Tinha tentado desviar o olhar, mas não conseguiu. Elas eram piores que qualquer coisa que ela poderia imaginar e mais horríveis que qualquer criatura do filme mais aterrorizante a que ela e seu pai costumavam assistir juntos.

Eram duas mulheres, mas não se pareciam com nada que ela tivesse visto antes. Suas peles estavam cobertas de escamas de cobra verdes e douradas e elas tinham pequenas asas douradas que vibravam constantemente como um beija-flor. Seus braços terminavam em mãos de bronze e suas pernas eram longas e ossudas, com pés de lagarto e longas garras.

Mas o mais aterrorizante de tudo eram suas cabeças, com rostos verdes e escamosos e apenas dois buracos no lugar do nariz, como as cobras. Elas não tinham lábios, apenas fendas que se abriam quando guinchavam. No lugar dos cabelos havia centenas de cobras verdes, todas se contorcendo e sibilando com suas línguas bifurcadas.

Quando Tange a carregou para a frente, Emily viu mais estátuas reunidas em volta da plataforma na qual ficavam os tronos. Desta vez não eram Nirads adultos, mas sim crianças. Ao olhar de perto, seus gritos ganharam uma nova energia quando entendeu tudo. As estátuas não tinham sido esculpidas; eram Nirads de verdade que tinham sido transformados em pedra! Cada um deles não tinha mais uma pele de mármore, mas *era* de mármore. O terror estampado em seus rostos deixava transparecer os momentos finais da tortura que sofreram e a dor insuportável que sentiram enquanto suas vidas eram transformadas em pedra.

Atrás dela, Pegasus estava enlouquecido, empinando e relinchando furiosamente enquanto eram levados, até que acabou se soltando dos Nirads que o cercavam e seguiu em frente.

O garanhão parou em frente aos tronos, empinou bem alto e abriu as asas queimadas, jogando a cabeça para trás em fúria e encarando as duas mulheres-cobras. O javali, que estava sentado entre os tronos, se levantou e guinchou alto para o garanhão.

– Acalme-se, Crisaor! – disse uma das mulheres monstruosas, fazendo um carinho na cabeça do javali bravo.

– Ouça o que Euríale diz – a outra falou. – Este é um momento de celebração. Temos o Fogo do Olimpo entre nós, não queremos que ela pense mal da gente ou ache que não apreciamos sua visita. – Ela se virou para Pegasus. – Pode dizer o que quiser, Pegasus – ela sibilou por sua boquinha fina como a de uma cobra. – Não mudará nada. A hora da vingança chegou e finalmente teremos justiça. Júpiter e os outros Olímpicos pagarão pelo assassinato de sua mãe. Nossa amada irmã Medusa será vingada!

Emily parou de gritar, mas tremia de terror ao olhar para as duas mulheres horríveis. O medo não a deixava pensar direito, mas parte dela se lembrou do nome.

Medusa era uma... uma... Emily se esforçou para lembrar o que Joel tinha contado sobre a mãe de Pegasus. *Górgona*! Ela finalmente se lembrou. Medusa, a mãe de Pegasus, e as irmãs dela, Esteno e Euríale, eram górgonas. Pegasus tinha nascido quando Perseu, filho de Júpiter, cortou a cabeça de Medusa. Joel contou que teoricamente o garanhão tinha nascido do sangue do pescoço dela, mas Emily não tinha acreditado nele. De repente ela se lembrou de que um olhar para uma górgona significava ser transformado instantaneamente em pedra.

Emily olhou para as estátuas de pedra no salão e percebeu que pelo menos a última parte do mito era verdadeira. Mas se um olhar para uma górgona transformava alguém em pedra, por que ela não tinha virado? E quanto a Pegasus e aos Nirads vivos?

Enquanto Pegasus continuava uma discussão furiosa e alta com as duas górgonas, Emily aproveitou para examinar com calma a sala do trono, e seu olhar recaiu sobre uma jaula presa bem atrás dos tronos das repulsivas mulheres-cobras. Ela era feita toda de ouro, com barras finas e trabalhadas que até mesmo Emily sabia que conseguiria entortar. Em cima da jaula havia mais uma grande pilha de ouro. A única coisa que não era de ouro era a pequena cadeira de pedra preta que ficava bem no meio dela.

Sentada na cadeira estava uma Nirad. Era a menor Nirad que Emily já tinha visto e tinha certeza de que, se ficassem em pé juntas, teriam a mesma altura. Ela parecia bem jovem e tinha traços finos e delicados que eram quase bonitos, e, apesar de também ter quatro braços, tinha uma tonalidade rosa-escura muito bela e marmorizada. Em vez de usar trapos como todos os outros Nirads, usava um vestido rosa pálido que deixava seu tom de pele ainda mais bonito.

Emily sentiu que havia algo de especial com aquela jovem Nirad, mas uma coisa era certa: quem quer que fosse, era de longe a criatura mais triste que Emily já tinha visto. Seus ombros estavam caídos e seus olhos baixos, enquanto olhava todas as crianças de pedra reunidas em volta dos tronos. Quando finalmente levantou os olhos verdes e pálidos, o coração de Emily quase se partiu. A dor que eles guardavam era insuportável.

Emily desviou o olhar daquela Nirad rosa e tão triste e continuou a investigar a sala do trono. À direita, viu uma parte de outra jaula grande e, diferentemente das barras de ouro trabalhado da outra, essa tinha barras pretas, grossas e sólidas. Quando se esforçou para olhar pelo lado de Tange e ver melhor, seus olhos encontraram o ocupante deitado no chão da sela e ela engasgou.

Era Joel.

Se ele estava lá, será que os outros também estariam? Emily procurou desesperadamente por seu pai, Paelen e Cupido, mas só conseguiu ver Joel. Ela tentou chamá-lo, mas Tange continuava com a mão em sua boca. Emily levantou as mãos e tentou soltar a dele, aumentando sua resistência contra o Nirad, mas quanto mais ela resistia, mais forte ele a segurava.

Tange sacudia a cabeça e fazia o que podia para que ela parasse.

Seus gritos abafados e os esforços para se soltar não passaram despercebidos. Pegasus, que estava parado em frente às górgonas, virou-se para Emily, e foi então que o garanhão também viu Joel. Ele relinchou alto e trotou até a jaula, empinou e tentou chutar o grande cadeado que tinha na porta, mas, mesmo depois de vários golpes muito fortes, ele permaneceu intacto.

– Você não conseguirá quebrar, Pegasus – Esteno sibilou. – O cadeado é poderoso. Mas não tema; o menino humano está ileso, *por enquanto...*

A ameaça em sua voz era bem clara. Pegasus trotou de volta ao lugar onde ficavam os tronos e continuou a protestar, mas quanto mais alto o garanhão relinchava, mais baixo as mulheres-cobras falavam. Emily se endireitou para ouvir o que diziam, mas não conseguiu.

As costas de Joel estavam viradas para Emily, que ficou aliviada ao perceber movimentos de respiração nele. Pelo pouco que via ele parecia bem, então Emily olhou novamente para o rosto de Tange e fez um movimento com a cabeça, tentando dizer a ele que não gritaria e nem tentaria se soltar mais.

Tange tirou a mão da boca de Emily. Seus olhos estavam focados em algumas crianças de pedra em frente aos tronos. Quando o terror inicial virou apenas um medo constante, outro sentimento começou a surgir no estômago de Emily. Ela se lembrou da expressão de dor de Tange quando perguntou se ele tinha filhos.

– Aqueles são seus filhos? – ela perguntou.

Tange não se moveu por um longo tempo, e ela ficou pensando se ele tinha ouvido a pergunta, até que finalmente olhou para ela e assentiu.

O olhar de Emily se voltou para as crianças de pedra, e sua garganta quase se fechou quando viu o terror em seus rostos jovens. Parecia que foram transformadas em mármore enquanto corriam para longe do trono. De repente, uma peça crucial do estranho quebra-cabeça se encaixou.

– Vocês invadiram o Olimpo e foram até Nova York porque as górgonas estavam ameaçando seus filhos, não é mesmo?

Tange concordou com a cabeça.

– E se não cooperassem, elas as transformariam em pedra?

Outra vez ele fez um leve aceno com a cabeça.

Emily desviou o olhar, assombrada demais para falar qualquer coisa. Ela se acostumara a odiar e temer os Nirads de tal forma que era difícil imaginar que aquelas criaturas temíveis e poderosas eram na verdade escravos de uma raça que tinha sido conquistada. Eles mereciam pena e compaixão, não medo e ódio! Os Nirads estavam sendo forçados a servir as cruéis górgonas ou então enfrentar a destruição de suas crianças.

Enquanto olhava, Emily percebeu que algumas das estátuas de crianças tinham sido quebradas e os pedaços se espalhavam pelo chão. Já era ruim o bastante as górgonas terem transformado as crianças em pedra, mas quebrá-las era simplesmente cruel demais.

Os olhos dela se voltaram para a Nirad cor-de-rosa na pequena jaula.

– Ela é importante para você?

Tange olhou para a jaula e Emily o viu ficar ainda mais triste. Ele assentiu com a cabeça.

Antes que ela pudesse tentar adivinhar quem era a Nirad rosa, a conversa entre Pegasus e as duas górgonas terminou. O garanhão se virou e tentou voltar até ela, mas Crisaor disparou e bloqueou o seu caminho.

Pegasus empinou e encarou o javali. Crisaor fez o mesmo com suas pernas curtas e desafiou o garanhão, mas, antes que voltassem a lutar, as duas górgonas começaram a gritar. O som era alto e estridente e fez todos na sala do trono gritarem de dor e colocarem as mãos nos ouvidos.

Emily nunca tinha passado por isso na vida. Até mesmo Tange reagiu ao som terrível e cobriu os ouvidos, com seus outros braços a segurando firme e tremendo. Quando o som finalmente parou, Emily tirou as mãos dos ouvidos esperando encontrar sangue nelas.

– Já chega, Pegasus! – Euríale gritou se levantando do trono, descendo do estrado e chutando para o lado uma estátua de criança enquanto andava. A estátua girou e caiu, quebrando um de seus pequenos braços. Na jaula a pequena Nirad rosa uivou de dor.

– Silêncio! – Euríale alertou. – Ou então destruirei mais. – Então se virou e olhou para o javali. – Crisaor, não queremos mais brigas entre vocês dois!

Emily ficou tensa quando a mulher-cobra se aproximou e pôde sentir Tange começar a tremer, mas seria de medo ou raiva? Olhando para o rosto dele ela não sabia dizer.

– Então – a górgona falou – esta criança é o Fogo do Olimpo?

Quanto mais perto ela chegava, mais Emily podia ouvir as cobras da cabeça dela sibilando, até que parou na sua frente.

– Uma criança humana? Vesta foi uma tola ao esconder o coração do Fogo em uma humana. – Ela esticou o braço e acariciou a bochecha de Emily com seu dedo frio de bronze. – Humanos são tão... *delicados*. No que ela estava pensando?

Emily se sentiu enojada com o toque e não conseguia olhar para a górgona, então manteve os olhos focados em Pegasus. O garanhão arranhava o chão de mármore com o casco tentando chegar mais perto, mas o javali guinchou de novo.

– Já falei para parar, Crisaor! – Euríale disparou. – Deixe seu irmão em paz!

Os olhos de Emily se arregalaram enquanto examinava o javali. Aquele era o irmão de Pegasus? Ela ficou surpresa demais para sentir repulsa com a proximidade da mulher-cobra.

– O que temos aqui? – perguntou a górgona, examinando o rosto de Emily. – Você não sabia que Pegasus tinha um irmão gêmeo? Eles nasceram quando Perseu, o assassino, cortou a cabeça da nossa querida irmã. – Ela soltou uma risada dura e terrível. – Viu, Pegasus? Está vendo o quanto esses humanos são ignorantes? Não é de admirar que costumássemos nos alimentar da carne deles, não? Mas o porquê de você resolver ser leal a esta aqui está além da minha compreensão.

Esteno deslizou do trono e se aproximou dela. Emily tinha de lutar para não soltar nenhum grito enquanto seus olhos eram atraídos para as cobras que cobriam as cabeças das górgonas e se contorciam e sibilavam para ela.

Quando Esteno esticou a mão em direção a Emily, Pegasus relinchou e se adiantou tentando se colocar entre as górgonas e Emily.

– Segure a língua, sobrinho! – Esteno sibilou dando um tapa no focinho dele. – Sabe que já matamos por muito menos. Você a terá de volta, mas não até que faça o que a trouxemos para fazer.

Emily congelou por dentro. Aquelas horríveis matadoras de crianças esperavam que ela fizesse algo por elas?

– Não sei por que nos trouxeram aqui, mas o que quer que queiram que eu faça, podem esquecer. Não farei.

As duas górgonas deram uma risada terrível.

– Mas que fogo! – Esteno falou. – Ela é mesmo o Fogo do Olimpo.

Euríale chegou mais perto e a segurou pelo queixo, apertando-o de maneira fria e dolorosa.

– Está errada, criança. Você *fará* exatamente o que dissermos e exatamente quando quisermos, ou então experimentará a dor de um jeito que nunca sentiu antes.

Emily tentou se afastar, mas Tange a segurou firme.

– Não sei o que acham que posso fazer, mas vocês têm mais poderes do que eu. Não sou nada.

– Isso é verdade, criança, você não é nada – Euríale concordou. – Mas por razões desconhecidas, Vesta a imbuiu com todos os poderes do Olimpo. Você sozinha tem o poder de fazer o que nenhum outro ser, vivo ou morto, do passado ou do presente, pode fazer.

– E o que é que eu posso fazer? – Emily perguntou temerosa.

As górgonas olharam uma para a outra e então se viraram juntas para Emily; suas bocas de cobra se abriram em um sorriso odioso.

– Matar Júpiter.

21

Apesar de seus protestos, Pegasus foi trancafiado em uma jaula grande e Emily foi levada para a jaula de Joel. Tange a colocou no chão e começou a fechar a porta.

– Espere aí! – Esteno falou e esticou a mão. – Dê o seu suporte dourado.

Emily olhou para a própria perna.

– Mas não consigo andar sem ele.

– Olhe à sua volta, criança. Aonde pensa que vai andar? Se por acaso escapar dessa jaula e fugir do palácio, cada Nirad deste mundo tentará matá-la. Eles sabem que você é a causa de todo o sofrimento deles.

– Mas eu não fiz nada! – Emily reclamou. – Vocês feriram essas pessoas. Veja só o que fizeram com os filhos deles! Vocês são os monstros, não eu!

A górgona permaneceu ereta e começou a sibilar.

– Não levante a voz para mim. Está na hora de aprender a ter modos! – Ela se apressou até a jaula que continha a Nirad rosa. – Segan, chame outra criança aqui – ordenou ferozmente. – Chame agora, ou então matarei vinte!

Emily viu a Nirad a baixar a cabeça quando seus ombros começaram a tremer.

– Vamos! – Esteno ordenou.

A Nirad rosa levantou a cabeça e fechou os olhos se concentrando. Momentos depois, um Nirad cinza entrou na sala do trono carregando uma criança que chorava e grunhia. Se ela fosse humana, Emily diria que não teria mais do que dois ou três anos. A criança tentou morder os braços do Nirad e esticou as garras das mãos para arranhar o rosto dele.

– Venha aqui – Esteno ordenou. – Coloque-a na jaula com os humanos.

A criança, chorando, foi levada até a jaula de Joel e Emily, que se rastejou para perto do amigo quando a criança foi colocada lá com eles.

Do outro lado da sala, Pegasus relinchava furiosamente tentando arrebentar as grades de sua jaula.

– Silêncio, Pegasus! – Esteno gritou. – O Fogo do Olimpo deve aprender a ser obediente!

A criança Nirad olhou para Emily e Joel e começou a chorar aterrorizada, engatinhando até a porta e tentando sair. Os quatro braços dela seguraram as grades enquanto começava a choramingar e soltar um som que parecia um uivo.

– Agora, Fogo do Olimpo, aprenda bem a sua lição! – a górgona falou.

Os olhos de Emily se arregalaram quando os de Esteno mudaram de verde-esmeralda para dourado brilhante e ela olhou para a criança Nirad. – Você causou isso, Fogo do Olimpo. Esta criança morrerá por sua causa.

– Não faça isso! – Emily estava em pânico. – Por favor, não faça isso! Pode ficar com meu suporte dourado. Eu imploro; não a machuque, por favor!

– Tarde demais, Fogo – a górgona gritou. – Aprenda esta lição. Você nos obedecerá!

O choro assustado da criança se transformou em uivos de dor à medida que sua pele foi escurecendo e se tornando sólida. Ela tentou se mover e fugir daquele olhar mortal, mas não podia, e a cada segundo ia se transformando em pedra.

– Pare! – Emily implorou. – Você a está matando!

Com um último grito de agonia da criança, estava feito. Emily olhava para uma pequena estátua de mármore. Lá em cima, na jaula dourada, a Nirad rosa chorou de tristeza e os outros Nirads na sala do trono abaixaram a cabeça.

– Silêncio, Segan! – Euríale gritou para ela. – Ou então minha irmã matará mais uma!

O coração de Emily batia muito rápido enquanto sua raiva crescia. O Fogo crescia do fundo de seu estômago e ela não tentou detê-lo. Emily se ajoelhou.

– Eu implorei para que parasse – ela disse furiosa. – Ela era uma criança inocente. Você não tinha o direito de matá-la!

Emily levantou as duas mãos e as chamas começaram a sair das pontas de seus dedos, mas não acertaram a górgona como ela queria. Com suas emoções descontroladas, as chamas voaram sem controle através das grades e dispararam em todas as direções da sala do trono. Tange grunhiu surpreso e de dor quando um raio de fogo o atingiu no peito musculoso e o jogou para trás com facilidade. Na parte da frente da sala, a Nirad rosa chorava de medo enquanto as chamas vivas se aproximavam de sua jaula, mas, antes que aquele fogo mortal chegasse até ela, um Nirad cinza pulou para a frente e se sacrificou para salvá-la, uivando de agonia quando sua pele de mármore começou a borbulhar e a queimar.

Emily entrou em pânico ao ver a dor e a destruição que seus poderes estavam causando. Ela apontou as mãos para baixo e tentou deter as chamas antes que causassem mais problemas, mas o fogo começou a queimar o mármore do chão da sala do trono e fez a pedra fumegar e derreter, aumentando ainda mais de intensidade.

– *Pare, Em!* – ela ordenou a si mesma. – *Pare!*

De repente Euríale gritou:

– Desligue o poder, Fogo, ou Pegasus morrerá!

Com pânico nos olhos, Emily viu Euríale voar até Pegasus com os olhos já dourados e brilhando.

– Não seja tola, Fogo. Matarei meu sobrinho se precisar. Pare com isso agora ou ele morrerá!

– Estou tentando! – Emily gritou enquanto lutava para deter suas chamas crepitantes, mas seu medo das terríveis górgonas apenas alimentava o fogo. Ele não responderia aos comandos de Emily. Era como se as chamas tivessem vontade própria e não pudessem ser paradas.

– Devemos matar de novo? – Euríale perguntou desviando o olhar mortal de Pegasus e mirando em Crisaor. O javali guinchou e tentou escapar da tia. Quando suas asas viraram pedra, ele olhou implorando para Emily.

Quando seus olhos se encontraram, ela viu terror e traição na expressão dele e, em seus últimos momentos de vida, Crisaor se esforçou para levar seu corpo de pedra para perto dela.

– Pare! – Emily gritou enquanto suas emoções descontroladas alimentavam mais ainda as chamas. Ela tentou pará-las mais uma vez, mas sua mente estava assustada demais e desconcentrada. – Por favor, você está matando ele!

– Então detenha as chamas! – Esteno ordenou.

Emily se concentrou mais do que qualquer outra vez na vida. Ela podia ouvir Pegasus relinchando alto na jaula do lado oposto e, ao sentir a angústia na voz do garanhão, teve força e determinação para apagar suas chamas. Elas enfraqueceram e diminuíram no exato momento em que Crisaor conseguiu chegar ao lado da jaula. A transformação do javali se completou quando a última chama se apagou e seus olhos escuros se apagaram e viraram pedra.

Esteno chegou perto da jaula e encarou Emily com uma expressão fria e cruel.

– Você se controlará, Fogo, ou eu prometo que Pegasus e o humano terão o mesmo destino de Crisaor.

Emily caiu no chão respirando com dificuldade e seus olhos assustados saíram de Crisaor e olharam em volta, percebendo a destruição que seus poderes descontrolados tinham provocado. Guardas surgiram e carregaram Tange e o Nirad queimado para fora. Tange gemia baixo, mas seu ferimento não parecia fatal. O outro Nirad queimado não se movia.

Emily ficou sentada em silêncio e assombrada com sua perda de controle; ficou agradecida por Joel ainda estar inconsciente e não ter testemunhado o horror daquilo tudo. Quando seus olhos finalmente voltaram a Crisaor, ela percebeu que ele, da mesma maneira que a criança Nirad, estava morto por sua causa.

Ela viu Pegasus abaixar a cabeça e raspar a pata no chão. Apesar das brigas constantes o garanhão amava o irmão e estava triste por sua morte.

– Sinto muito, Pegs – ela murmurou baixinho.

Emily olhou para a pele lisa e intacta de suas mãos e percebeu que apesar dos danos que tinha causado, as coisas poderiam ter sido muito piores. Seus poderes tinham saído completamente do controle e ela tinha tido sorte de não queimar Pegasus ou a Nirad rosa. Desta vez a coisa tinha sido muito pior do que o que tinha acontecido no Templo. Seus poderes estavam aumentando, mas seu controle só piorava.

Naquele momento, Emily prometeu nunca mais usar seus poderes.

– Agora você me dará seu suporte dourado ou teremos de fazer tudo de novo? – Esteno perguntou esticando a mão de bronze e parecendo nem ter notado o que tinha acabado de acontecer.

Emily estava sentada ao lado de Joel e soltou as amarras do complicado aparelho dourado de sua perna, jogando-o para a porta da jaula sem conseguir olhar para a malvada górgona.

– Pegue!

– Está aprendendo, Fogo – Esteno falou pegando o aparelho. – Júpiter receberá isto como prova de que estamos com você e não terá escolha a não ser se render.

As duas górgonas se juntaram e levantaram o suporte dourado.

– Primeiro mataremos Júpiter e depois o Olimpo será nosso!

22

Após conseguirem o suporte dourado, as górgonas começaram a gargalhar e saíram felizes da sala do trono. Emily se concentrou em Joel. O rosto dele estava ferido e coberto de sangue seco; o nariz estava quebrado e os olhos estavam muito inchados. Quando ela tocou gentilmente a testa dele, seus poderes de cura começaram a funcionar e os ferimentos começaram a desaparecer.

Seus olhos se abriram.

– Está tudo bem, Joel – Emily falou baixinho. – Você está seguro.

– Em – Joel murmurou. – O que aconteceu? – Os olhos dele se abriram por completo e ele se sentou. – Nirads! – gritou. – Emily, os Nirads acordaram!

– Fale baixo, Joel! – Emily colocou a mão na boca dele e olhou apreensiva em direção às portas pelas quais as górgonas tinham entrado. Ela o ajudou a se sentar direito e viu sua reação quando examinou onde estava.

– O que aconteceu? – ele perguntou em um sussurro. – Onde estamos?

– No mundo dos Nirads.

Emily explicou como ela e Pegasus tinham sido atacados no Red Apple e levados para lá, depois contou tudo o que sabia dos

Nirads e que as górgonas estavam por trás de todos os ataques ao Olimpo, e não as criaturas de quatro braços.

Joel sacudiu a cabeça, incrédulo.

– As górgonas? Jura? Não tem muita coisa escrita a respeito das irmãs de Medusa, apenas que ela era mortal enquanto as irmãs eram imortais. E que também eram tão más quanto ela e que também podiam transformar as pessoas em pedra.

– Elas são as criaturas mais aterrorizantes e hediondas que já vi – Emily falou. – Muito piores que os Nirads, quando os vimos pela primeira vez. Suas cabeças são mesmo cheias de cobras sibilando e também são cobertas de escamas.

– Exatamente como na mitologia – Joel refletiu.

– Isso não é uma história, Joel! As górgonas escravizaram os Nirads e estão matando as crianças deles para mantê-los sob controle. Quando não quis entregar o meu aparelho da perna, elas transformaram aquela pobre criança Nirad em pedra bem na minha frente! – Emily abaixou a cabeça. – Ela morreu por minha causa. Depois elas disseram que fariam o mesmo com você e com Pegasus se eu não fizer o que querem.

– E o que elas querem? – Joel perguntou.

– Querem que eu mate Júpiter.

– O quê? – Joel gritou.

Emily achou que não fosse possível ver Joel ainda mais chocado, mas, quando contou a ele os planos das górgonas, seus olhos se arregalaram mais ainda.

– Você não pode fazer isso! – ele insistiu. – Não interessa o que façam a mim e ao Pegasus, você simplesmente não pode fazer isso!

– E não vou – Emily falou. – Não usarei meus poderes novamente; eles são muito perigosos. Devia ter visto o que aconteceu no Red Apple e aqui antes de você acordar. Eles ficaram descontrolados, Joel. Meus poderes estão crescendo e não consigo controlá-los. Acho que matei um Nirad e tenho certeza de que feri o Tange.

– Quem é Tange?

Emily explicou a ele sobre o Nirad laranja e os danos que ela causou na sala do trono, apontando para o grande local queimado na frente da jaula deles.

– Poderia ter sido pior.

Joel tentou confortá-la, mas Emily estava quase tão assustada com seus poderes quanto estava com relação às górgonas. Ela temia que acabaria não conseguindo pará-los, e seu pesadelo de acabar queimando o mundo inteiro se tornaria realidade.

– Tenho certeza de que Tange está bem, Emily. Os Nirads têm a pele tão dura quanto pedra.

– Você não viu como foi, Joel. Era como uma tempestade de fogo que eu não conseguia deter.

– Mas você acabou controlando – Joel falou.

– Mas foi por muito pouco. Quem sabe o que pode acontecer da próxima vez?

– Tenho certeza de que seu pai, Paelen e Cupido vão nos tirar daqui antes da próxima vez.

– Meu pai? – Emily gritou animada. – Você viu meu pai, Joel? Como ele está? Vocês o resgataram das instalações da UCP? Ele sabe sobre mim e o que aconteceu no Olimpo? Você falou o quanto pensamos em resgatá-lo?

Joel segurou nas mãos dela.

– Acalme-se, Emily! Seu pai está bem. – Ele contou tudo o que tinha acontecido nas instalações da UCP. – O Nirad me pegou, mas tenho certeza de que os outros escaparam em segurança.

Emily sentou encostada nas grades da jaula. Aquela era a melhor notícia que ouvira em muito tempo e estava agradecida por seu pai ter sido libertado da UCP, mas ao mesmo tempo com medo de que tivesse sido ferido pelos Nirads.

– Então você foi trazido para cá sozinho?

Joel deu de ombros.

– Acho que sim. O Nirad me acertou e eu desmaiei. Só acordei agora, com você.

Emily e Joel ficaram sentados juntos e de mãos dadas. Tê-lo ali fazia com que ela se sentisse muito melhor. Quando Tange voltou para a sala do trono, Emily tentou ver o quanto o tinha machucado. Ele foi primeiro até a jaula da Nirad rosa e depois caminhou devagar para seu posto.

Seu peito estava coberto por uma pasta verde-escura, mas havia marcas de queimadura expostas nos cantos, mostrando onde as chamas dela tinham encostado. As marcas eram roxas e laranja-escuro.

– Sinto muito, Tange – Emily falou. – Me perdoe, por favor. Não queria ferir você e nem o outro guarda. O poder simplesmente saiu e não tenho muito controle sobre ele.

Tange não demonstrou nenhuma reação às palavras dela e ficou completamente imóvel como uma pedra em seu posto.

– Por favor, Tange! – Emily implorou. – Juro que jamais machucaria você ou seu povo. Foi um acidente!

Do outro lado da sala do trono, Pegasus andava por toda a sua jaula com a cabeça baixa, relinchando suavemente e parando às vezes para bater nas grades e tentar quebrá-las.

– O que aconteceu com Pegasus? – Joel perguntou vendo as queimaduras que cobriam o corpo dele.

– *Eu* aconteci – Emily disse tristemente. – Ele se feriu no incêndio que causei no Red Apple. E agora as górgonas mataram o irmão dele. – O olhar dela foi até Crisaor. Nos momentos finais e agonizantes do javali, Emily viu que ele tinha mudado, percebendo o erro que cometeu ao se aliar às tias. O arrependimento estava impresso permanentemente em seu rosto de pedra. Ela rastejou até o canto da jaula mais próximo de Crisaor. Joel se juntou a ela e olhou para o javali.

– Este é o irmão dele? – Joel perguntou surpreso. – Li que Pegasus tinha um irmão gêmeo, mas a maioria das histórias dizia que ele era um gigante. Não sabia que era um javali alado.

Emily concordou com a cabeça e esticou a mão para acariciar o focinho de pedra frio dele.

– Crisaor liderou os Nirads até o Red Apple. – Ela olhou para a estátua. – Gostaria muito que não tivesse feito isso, Crisaor. Se não tivesse traído o Olimpo, nós poderíamos ter sido amigos.

Sob os dedos, Emily sentiu o focinho de pedra do javali esquentar e tirou a mão rapidamente. Será que tinha imaginado aquilo? Ela olhou e viu que a pedra estava sumindo e a cor marrom surgia novamente.

– Está vendo isso, Em? – Joel gritou. – Toque nele de novo!

Pegasus parou de caminhar e ficou parado observando. Depois levantou e abaixou a cabeça, resfolegando quando Emily esticou a mão através das grades e fez um carinho no rosto de Crisaor. Mais uma vez a pedra embaixo da mão dela esquentou.

De repente, lá da frente da sala, a Nirad rosa que as górgonas tinham chamado de Segan soltou um som diferente.

Os dois olharam quando Tange deixou seu posto e se aproximou da jaula. Joel ficou na frente de Emily para protegê-la.

– Para trás! – ele gritou, se preparando para lutar com o enorme Nirad de maneira corajosa. – Emily já disse que sente muito e que não queria machucar você.

Tange sacudiu a cabeça, grunhiu algumas palavras suavemente e apontou para a criança de pedra que estava na jaula deles.

– O que ele quer? – Joel perguntou.

– Acho que sei.

Emily rastejou até a estátua da criança Nirad e tocou em um de seus braços de mármore. Instantaneamente a pedra começou a esquentar e a cor surgiu na superfície. Ela soltou a criança e olhou para o Nirad laranja.

Os olhos de Tange se arregalaram e ele soltou um grito excitado que foi repetido pelos outros três guardas cor de laranja que estavam na sala. Ele se virou e falou algo para Segan.

Pegasus pulava em sua jaula enquanto o coração de Emily se enchia de esperança.

– Tange, eu posso salvar as crianças! – ela falou e se virou para Joel. – Elas não estão mortas! Todas essas pobres criancinhas podem viver de novo! Se derrotarmos as górgonas, posso curar todo mundo!

Quando Emily esticou a mão em direção à criança novamente, Segan soltou outro som estranho e Tange esticou o braço para dentro da jaula e segurou Emily, fazendo um "não" com a cabeça e apontando para as portas próximas aos tronos.

– Elas estão voltando, Em – Joel falou e a ajudou a voltar para o fundo da jaula enquanto Tange retornou a seu posto como se não tivesse saído de lá.

Emily se sentou encostada nas grades e apertou a mão de Joel. Depois deu uma olhadela para Crisaor e viu a marca de sua mão ainda no rosto dele. Se as górgonas olhassem aquilo, não teriam como não perceber.

– Está feito – Esteno falou. – A mensagem foi enviada. Agora é só uma questão de tempo até que Júpiter se renda a nós.

– Temos de nos preparar – disse Euríale, virando-se para a Nirad rosa. – Ordene aos seus homens que limpem esta área. Teremos um convidado muito especial em breve e não queremos dar a ele nenhuma pista do que está acontecendo. – Os olhos da górgona se viraram para a jaula e pararam em Joel.

O coração de Emily quase parou quando sentiu a mão dele apertando a sua.

– Você acordou – Esteno falou chegando mais perto. – Qual é o seu nome, garoto?

Emily pôde sentir a mão dele tremendo enquanto a górgona se concentrava nele e as cobras em sua cabeça sibilavam e atacavam em sua direção.

– Joel – ele respondeu baixo, encarando a criatura grotesca.

– Muito bem, Joel, nós o trouxemos aqui porque sabemos que o Fogo do Olimpo se preocupa com você. Enquanto ela cooperar conosco você estará salvo, mas, se tentar usar seus poderes contra nós, você será o primeiro a sofrer. – Os olhos maus da górgona se voltaram para Emily. – Seria inteligente de sua parte se lembrar disso. Costumávamos nos alimentar de carne de jovens humanos como o Joel. Já faz muito tempo desde que saboreei uma iguaria doce e apetitosa como ele. Comporte-se, criança, ou verá horrores muito além de sua imaginação!

Enquanto se afastava, Esteno foi até Tange e o olhou de cima a baixo, tocou sua queimadura e cheirou a pasta verde-escura. Finalmente ela apontou para o Crisaor de pedra.

– Remova aquela coisa daqui.

Tange grunhiu uma vez e avançou. Ao levantar a pesada estátua com seus quatro braços, olhou para Emily e Joel e fez um aceno de cabeça rápido e quase imperceptível.

Ao redor deles, Nirads começaram a limpar a sala. Vários foram em frente e levantaram com muito cuidado as estátuas das crianças que estavam em volta dos tronos.

– Não – Euríale ordenou. – Deixe-as aqui. Temos de garantir que sua nova rainha entenda as penas para quem nos desafia. – Ela olhou para a Nirad rosa. – Segan, você sabe quantas crianças Nirad nós temos conosco. Não nos faça destruir todas elas.

– Rainha! – Joel sussurrou olhando para a Nirad rosa. – É a rainha deles.

A última peça do quebra-cabeça estava no lugar. Igual a colônias de abelhas ou formigas, a rainha controlava seu povo e, ao ameaçar os filhos deles com violência, as górgonas controlavam a rainha. Emily observou Segan a baixar a cabeça e concordar.

Emily e Joel permaneceram sentados no fundo da jaula e de mãos dadas, enquanto os enormes Nirads arrumavam a sala. Os quatro guardas de cor laranja, um deles Tange, recolhiam gentilmente os pedaços de estátuas quebradas. Emily ficou imaginando se conseguiria curar as crianças caso aqueles pedaços fossem colocados no lugar.

Descobrir que tinha o poder de libertar as pessoas transformadas pelas górgonas malignas tinha dado um pouco de esperança a ela, mas agora tinham de dar um jeito de escapar e, quando o fizessem, lutariam para libertar os escravizados Nirads e enfrentariam as górgonas de uma vez por todas.

23

O tempo parecia não passar enquanto Emily e Joel estavam sentados na jaula. Do outro lado da sala, Pegasus caminhava e chutava a porta de sua jaula tentando escapar. Depois relinchou alto para as duas górgonas sentadas nos tronos.

– Soltaremos você quando Júpiter estiver morto – disse Euríale, levantando-se do trono e deslizando de cima do estrado mais alto onde ficavam. – Nem um momento antes disso. Não vou deixar que tente alertá-lo.

Pegasus relinchou furioso e Euríale deslizou até a jaula dele, levantando a mão como um aviso.

– Estou cansada de suas constantes reclamações. Fique em silêncio ou se juntará ao seu irmão no jardim das estátuas.

Mas o garanhão não parou e, com a irritação aumentando, a górgona bateu as pequenas asas douradas e voou até Emily.

– Por razões que fogem à minha compreensão, Pegasus é leal a você. Sugiro que peça a ele que fique quieto ou então eu o transformarei em pedra.

Emily olhou novamente para o garanhão.

– Pegs, por favor! – ela implorou. – Ela fará isso mesmo. Pare, por favor, eu não suportaria perder você!

– Ouça a Chama, Pegasus – Euríale alertou. – Você me conhece e sabe que eu faria o que disse.

Pegasus finalmente ficou em silêncio, olhou para Emily e resfolegou baixo.

– Acredito que eu tenha subestimado o seu poder em relação ao meu sobrinho. Nunca vi Pegasus se render a ninguém.

Joel se levantou e encarou desafiadoramente a terrível górgona.

– Não é o poder que os conecta. É algo que você nunca vai entender; eles se importam um com o outro.

– Palavras tolas – Euríale fez um gesto de desprezo e então voou de volta até a irmã sentada no trono. – Temos de fazer muitas preparações e é hora de descansarmos.

Esteno se levantou do trono, virou-se e chegou mais perto da rainha Nirad, levantando a mão ameaçadoramente perto das grades douradas da jaula.

– Ouça o meu aviso, rainha. Se algum destes prisioneiros não estiver aqui de manhã, mataremos você e destruiremos o que sobrou de seu mundo nojento. É melhor garantir que não escapem.

Segan abaixou a cabeça.

– Venha, irmã. O tempo de nosso exílio está chegando ao fim. Logo estaremos livres para governar.

Quando elas partiram, Emily se recostou, suspirou pesado e abaixou a cabeça.

– Sinto muito, Joel.

– Por quê? – ele fez uma careta.

Ela não conseguia olhar para ele.

– Sinto muito tê-lo envolvido nisso tudo. Se não tivesse ido até sua casa quando o Pegasus caiu no teto do meu prédio, você não estaria aqui.

Joel passou um braço atrás dela e a puxou para mais perto.

– Não seja boba. Você me salvou naquele dia. Se não fosse por você, provavelmente eu acabaria na prisão! E mesmo se a gente morrer aqui, o que *sei* que não vai acontecer, jamais me arrependeria nenhum momento de tudo o que passamos. Você não sabe o que significa para mim?

Emily olhou em seus olhos castanhos calorosos.

– Você é a irmã que nunca tive. Não sabe que eu faria tudo por você? Lutaria só com meus punhos contra aquelas górgonas se precisasse.

Emily sentiu as lágrimas chegando aos olhos. Joel a apertou de leve.

– Agora é melhor secar essas lágrimas antes que exploda tudo e estrague meus planos de fuga.

Emily fungou e secou as lágrimas com o lenço de Netuno, olhando para Pegasus e percebendo que Joel tinha razão. Ela não se arrependia de nenhum momento de sua vida desde que o garanhão tinha entrado nela. Apenas gostaria de ter visto o pai de novo. Será que ele estava seguro e com Paelen? Será que sabia o quanto ela o amava e sentia sua falta? Aquelas perguntas a assombraram até que pegasse no sono e dormisse nos braços de Joel.

Emily acordou um pouco depois. Joel roncava suavemente com o braço em volta dela. Pegasus cochilava encostado nas grades de sua jaula e a rainha, curvada em sua cadeira, parecia dormir em sua jaula dourada. Emily olhou para Tange e os outros guardas da sala do trono e viu que ainda estavam em pé e imóveis em seus postos. Parecia que nunca dormiam ou se moviam, apenas ficavam vigiando sua rainha.

Bem na hora em que Emily ia se recostar de novo em Joel, sons de grunhidos quebraram o silêncio da sala do trono.

Tange e os outros três guardas ficaram completamente alertas, e o que estava mais próximo da porta gritou algo para o corredor, recebendo uma resposta curta em seguida.

Na jaula de ouro, Segan acordou instantaneamente e se sentou ereta na cadeira, levantando a cabeça e fechando os olhos. Para Emily parecia que ela estava se concentrando para poder ouvir o máximo possível.

– O que foi? – Joel acordou assustado e olhou para todos os lados.

– Não sei – Emily falou. – Algo está acontecendo.

– Talvez Júpiter esteja aqui.

Pegasus relinchou para a rainha, que respondeu suavemente. Emily viu a reação dele, que começou a andar pela jaula apertada e a raspar o chão com a pata. O que quer que ela tenha dito o deixou muito preocupado.

– O que foi, Pegs? – Emily perguntou. – É o Júpiter? Ele está aqui?

Pegasus parou de andar e olhou para ela; depois sacudiu a cabeça e resfolegou.

– Não é Júpiter – Joel comentou. – O que é então?

O som dos gritos graves das górgonas silenciou Emily e todos os outros na sala do trono, mas não fez com que Pegasus parasse de andar em sua jaula.

As górgonas entraram e voaram direto para a jaula da rainha.

– Segan, mande seus homens trazerem os prisioneiros direto até nós!

– *Prisioneiros*? – Joel repetiu.

A mente de Emily pensou imediatamente em seu pai, Paelen e Cupido. Será que tinham conseguido encontrar o mundo Nirad e acabaram sendo capturados?

Os momentos pareceram uma eternidade enquanto esperaram para ver quem os Nirads tinham capturado, até que uma agitação do lado de fora da sala do trono finalmente começou. Emily e Joel prenderam a respiração e seus corações pararam quando viram os gêmeos, Diana e Apolo, sendo arrastados para a sala por vários Nirads cinza. Seus rostos e braços estavam cobertos de cortes e machucados, sinais de que uma luta terrível tinha acontecido.

Diana arregalou os olhos quando os viu.

– Emily, Joel, o que estão fazendo aqui? Vocês estão bem?

– Eles estão bem – Euríale falou. – Acha que machucaríamos crianças?

– Não me tente a responder isso, Euríale! – disse Diana, olhando furiosamente para a górgona. – Sei tudo sobre o apetite hediondo de vocês!

Apolo se esforçava para se soltar dos Nirads que o seguravam.

– Solte-nos, górgona, antes que eu perca a cabeça!

– Você não está no Olimpo, Apolo – disse Esteno, batendo as pequenas asas e voando até o Olímpico. – Nunca mais nos ordenará nada. Este é o nosso mundo agora, nós mandamos aqui. Não é você, sua irmã gêmea e nem Júpiter! Se dissermos para se curvar, você se curvará diante de nós. Você não tem poder aqui.

– E nem pode fazer nada para nos deter – Euríale acrescentou. – Esperamos muito tempo por nossa vingança. Júpiter conhecerá nossa fúria pelo que Perseu fez com nossa amada irmã Medusa...

– E pelo que todos vocês fizeram conosco ao longo das eras – Esteno concluiu.

– Vocês mereceram tudo o que fizemos! – Apolo gritou. – Vocês são criaturas más e sujas que destruíram vidas incontáveis e que sempre levam a morte e o sofrimento a qualquer lugar que vão. Vocês continuam vivas apenas graças à generosidade do nosso pai, mas, quando ele souber o que fizeram com este mundo e seu povo, não haverá escapatória.

Esteno começou a rir alto.

– Não haverá escapatória? Garoto tolo! Quando Júpiter chegar aqui ele vai morrer, e então o Olimpo será nosso!

– Não pode nos derrotar, górgonas! – Diana disparou furiosa. – Esse foi o mesmo erro fatal de Medusa, a mesma arrogância. Ela tentou vencer, subestimou o poder de Júpiter e lembrem-se do que aconteceu! Vocês não têm poderes à altura do nosso pai!

Esteno sibilou para Diana.

– Seu pai é um covarde que nem teve coragem de enfrentar Medusa! Por isso mandou Perseu para assassiná-la.

– Ele mandou Perseu para oferecer uma escolha a ela – Diana respondeu. – Ela se recusou a ouvir e recebeu a justiça que tanto merecia.

– A única justiça acontecerá quando Júpiter morrer.

– Não pode matar nosso pai! – Apolo retrucou. – Você não tem o poder necessário!

– É verdade – Euríale concordou, caminhando até a jaula de Emily. – Mas não sou eu quem vai matá-lo. – Ela apontou para Emily. – Ela vai. Foi preciso muito tempo e esforço para trazer o Fogo do Olimpo, mas agora ela é nossa. Emily tem poder mais do que suficiente para destruir Júpiter. Ela cumprirá essa tarefa e então entregará o Olimpo para nós.

Emily se sentiu enjoada. As górgonas esperavam que ela voltasse seus poderes contra Júpiter? Elas estavam loucas! Não havia como ela fazer algo assim.

– Mas chega de papo! Júpiter vai morrer! – Euríale gritou.

– Nós deteremos vocês! – disse Apolo em tom desafiador, lutando contra os Nirads que o seguravam. – Vocês não destruirão o Olimpo!

Euríale se aproximou dele com os olhos dourados e brilhando.

– Faremos o que quisermos, Apolo. Nossos guerreiros Nirads são muito mais fortes que os Olímpicos. No entanto, você e sua irmã podem regozijar-se por serem os primeiros filhos de Júpiter a decorarem o nosso jardim de estátuas.

Emily assistiu horrorizada enquanto Apolo começou a virar pedra. Os Nirads o soltaram e se afastaram enquanto ele gritava em agonia. Momentos depois, os gritos foram cortados e a expressão de agonia estava selada em seu rosto de mármore liso.

– Apolo! – Diana gritou e virou-se desesperadamente para a outra górgona. – Esteno, detenha sua irmã antes que seja tarde demais.

Esteno começou a gargalhar.

– Tarde demais para quê, Diana? Você não pode nos deter. Mas se está muito preocupada com seu irmão gêmeo, logo se juntará a ele!

Emily e Joel gritaram impotentes enquanto as górgonas usaram seus poderes mortais contra Diana. Enlouquecido em sua jaula, Pegasus empinava e chutava as grades novamente. Quando tudo acabou, os olhos das górgonas voltaram ao normal e elas gargalharam alto ao inspecionar as duas novas estátuas.

– Ei, você! – Esteno gritou apontando para Tange. – Mande seu pessoal colocar estes dois ao lado dos nossos tronos. Quero que Júpiter veja o que fizemos com seus filhos quando chegar aqui.

Emily caiu no chão da jaula enquanto soluços pesados saíam de si.

– Jamais farei isso! – ela choramingou pegando seu lenço e recolhendo as lágrimas. – Não matarei Júpiter e nem entregarei o Olimpo!

– Ah, sim! Vai, sim! – Euríale gritou avançando até a jaula. – Se quer manter Pegasus e Joel vivos, terá de fazer isso. A escolha é simples. Você matará Júpiter e nos servirá, e eles viverão. Mas se recusar, mataremos os dois e depois você. Com o Fogo do Olimpo extinto, Júpiter perderá seus poderes de qualquer forma e será uma presa fácil para nós. Nós nos alimentaremos dos ossos do Olimpo e depois do seu mundo.

– Se duvida de nossa palavra, criança, então acredite nisto! – Esteno foi até a jaula de Pegasus com os olhos dourados e se concentrou na parte de trás do garanhão.

Pegasus começou a gritar quando uma de suas patas traseiras começou a mudar de cor: de branco para pedra.

– Pare! – Emily gritou batendo os punhos contra as grades da jaula.

Joel estava ao lado dela.

– Podem me matar se quiserem, mas deixem Pegasus em paz!

Esteno soltou Pegasus, que ganhou uma pata traseira de mármore. Toda vez que tentava colocá-la no chão a dor era insuportável e então era forçado a levantar o pesado membro novamente. Seus relinchos profundos e tristes cortavam o coração de Emily como uma faca.

– Cada vez que nos desafiar, mais uma parte do seu precioso Pegasus virará pedra – Euríale riu.

– Você é doente! – Emily gritou.

– Não – Euríale respondeu. – Somos górgonas!

Assim que as górgonas saíram da sala do trono, Emily caiu no chão, sentindo-se fraca e derrotada. Ela sentia a falta do pai mais do que nunca e desejou que ele estivesse ali para guiá-la. Eles estavam com tantos problemas que ela não sabia por onde começar.

Joel caminhava pela jaula.

– Não podemos deixá-las fazer isso. Temos de sair daqui e avisá-los.

– Mas como? – Emily perguntou. – Mesmo que o Tange nos solte, assim que as górgonas descobrirem elas matarão a rainha.

– Então levaremos a rainha com a gente. Podemos levá-la para o Olimpo, onde poderemos protegê-la.

Tange deixou seu posto, apontou para a fechadura na jaula deles e depois para a jaula de Segan e fez que não com a cabeça.

– A jaula dela não está trancada? – Joel perguntou olhando para a jaula da rainha.

Tange assentiu.

– Então tudo o que temos de fazer e tirá-la de lá – Emily falou.

Tange fez que não com a cabeça mais uma vez. Ele usou as mãos monstruosas para explicar que as grades da jaula eram muito fracas. Depois juntou as mãos. Com todo o ouro que havia em cima da jaula, não era preciso muito para que as grades fraquejassem e aquele peso todo descesse esmagando a rainha.

– Então não podemos levá-la com a gente – Emily falou. – Mas temos de fazer algo. – Ela tinha certeza de que as górgonas matariam a rainha mesmo se fizesse o que tinham ordenado e matasse Júpiter. Elas eram más demais para deixar qualquer um deles viver.

Em sua jaula, Segan começou a emitir sons estranhos e Pegasus relinchou, concordando com a cabeça. A rainha pareceu responder.

– Você pode mesmo entendê-la, Pegasus? – Joel perguntou.

O garanhão concordou com a cabeça e então relinchou de dor ao mover a pata de pedra.

O sofrimento de Pegasus era como uma adaga atravessando o coração de Emily.

– Gostaria de poder ajudá-lo, Pegs – disse ela docemente.

A rainha continuou a dizer algo com aqueles sons estranhos e Tange saiu da sala do trono.

Joel ajudou Emily a sentar e se encostar nas grades da jaula.

– Em, temos de pedir ao Tange para nos deixar sair. Você não pode estar aqui quando Júpiter chegar; as górgonas forçarão você a matá-lo.

– Não usarei meus poderes novamente – Emily disse com firmeza. – Não interessa o que façam com qualquer um de nós, da próxima vez que tentar usar meus poderes, posso acabar perdendo o controle completamente.

Quando Tange voltou, carregava a estátua de pedra que era Crisaor. Ele a colocou na frente da jaula deles, a abriu e fez um sinal para que Joel e Emily saíssem.

De sua jaula, Pegasus relinchou para Emily. Ela olhou para o garanhão, para Tange e finalmente para a rainha. Todos olhavam para ela esperançosos e Emily entendeu exatamente o que queriam. Eles precisavam ir até Júpiter e Crisaor era a única esperança; mas depois de tudo o que tinha feito, será que poderiam confiar nele?

Joel viu que ela hesitava e deu de ombros.

– Não temos muitas opções, Em. Faça isso.

Ele a ajudou a se sentar no chão, ao lado de Crisaor. Emily esticou a mão e a colocou no focinho dele, sentindo a temperatura aumentar embaixo de seus dedos. Momento a momento, a pedra foi derretendo e os pelos e as asas marrons do javali alado retornaram.

Logo a cor marrom se espalhou por seu corpo todo e ela pulou ao ver que alguns pelos de seu rosto começaram a se mexer. Depois de alguns minutos, a cor voltou aos seus olhos castanhos-escuros e o javali respirou fundo e acordou.

Crisaor deu um pulo quando viu Emily sentada ao seu lado e olhou em volta ainda confuso. Pegasus começou a relinchar e ele trotou até a jaula do irmão. O garanhão baixou a cabeça e a colocou o máximo que conseguiu para fora das grades, para tocar nele.

Ver os dois se reunindo quase trouxe lágrimas aos olhos de Emily enquanto ela se lembrava de como tinham tentado se matar lá no Red Apple. Agora parecia que Crisaor tinha mudado e tudo tinha sido perdoado. Ele guinchou baixo e trotou até Emily, que olhou em seus olhos e viu muito de Pegasus lá. Ela esperava que ele tivesse mudado o suficiente para ter a mesma compaixão e simpatia pelos outros que o irmão tinha.

– Precisamos desesperadamente de sua ajuda, Crisaor – ela explicou docemente. – Não podemos deixar as górgonas matarem Júpiter; veja o que fizeram com os Nirads e com você. Acha mesmo que não farão mal a mais ninguém? Tudo o que elas querem é poder e destruição, e não ligam para quem matarão para conseguir isso.

Ela esticou a mão e acariciou os pelos ondulados do focinho dele.

– As górgonas estão dormindo. Você tem de voar até o Olimpo, encontrar Júpiter e avisar que elas estão planejando me obrigar a matá-lo. Explique a ele que elas aprisionaram a rainha Nirad em uma gaiola frágil de ouro olímpico e que qualquer tentativa de resgate a matará. E conte também que estão matando crianças Nirads para controlar a rainha. Por favor, Crisaor, você é a nossa única esperança. Tem de dizer a Júpiter que traga todos os seus guerreiros para lutar com as górgonas.

Crisaor sacudiu a cabeça.

– Olhe para ele, Em, parece que não vai nos ajudar! – Joel disparou. – Mesmo depois de salvá-lo, ele não vai nos ajudar!

Crisaor olhou para Tange e guinchou suavemente. Em resposta, o Nirad laranja pegou Joel com seus quatro braços e o levantou.

– Tange, não! – Emily gritou. – Solte-o!

Do outro lado da sala, Pegasus relinchou baixo enquanto sacudia a cabeça para cima e para baixo.

– Por favor, Tange! – Emily implorou. – Não o machuque, por favor!

O enorme Nirad levantou Joel bem alto e grunhiu. Crisaor se moveu ficando embaixo das pernas de Joel e abriu as asas para que Tange pudesse colocá-lo em suas costas.

Emily foi a primeira a entender.

– Joel, eles querem que você vá junto!

– O quê? – Joel falou. – Não, eles... – Tange o soltou e deu um passo para trás.

Joel estava agora montado em Crisaor com as pernas encaixadas por baixo de suas asas. Quando olhou para o grande Nirad, Tange apontou para ele, para Crisaor e depois para a porta.

– Sim, é o que querem – Emily falou. – E têm razão. Você deve ir mesmo.

– Não vou deixar você aqui sozinha! – Joel tentou descer, mas Crisaor fechou as asas firmemente sobre as pernas dele e o prendeu no lugar.

– Você tem de ir! – Emily insistiu. – Crisaor traiu o Olimpo, por isso não acreditarão nele, mas em você sim. Conte tudo o que viu aqui, conte sobre Apolo e Diana e como as górgonas querem que eu mate Júpiter.

– Não posso deixá-la aqui! – Joel protestou. – Se as górgonas descobrirem, matarão você e a rainha!

– Elas nunca saberão. Ainda é cedo e, se partir agora, poderá voltar antes de elas acordarem. Vão o mais rápido que conseguirem e voltem antes do amanhecer.

Joel parecia indeciso, mas Tange e Pegasus o encorajavam com acenos de cabeça. Lá em cima, na jaula de ouro, a rainha também concordava.

– Viu? – Emily falou. – Todos concordam. Eu ficarei bem; Pegasus e Tange estão aqui. – Emily se esforçou para ficar em pé. Tange a ajudou, levou-a até Joel e ela o abraçou apertado. – Tome cuidado, por favor. Meu pai já deve estar no Olimpo agora. Encontre-o, conte o que aconteceu e diga que estou esperando por ele.

– Pode deixar – respondeu. – E voltarei logo, prometo.

Emily esticou a mão e fez um carinho na cabeça do javali.

– Cuide bem dele, Crisaor, e volte logo.

Agora que estava fora da jaula, Emily olhou para Pegasus e ficou tentada a curar a perna dele, mas sabia que não podia fazer isso. Deixá-lo sofrendo era uma das coisas mais difíceis que já tinha feito, mas era perigoso demais deixar uma evidência de que ela tinha estado fora de sua jaula. Tange a carregou de volta e fechou a porta. Com um último aceno, ela viu o grande Nirad laranja escoltar Joel e Crisaor em segurança para fora da sala do trono e os ajudar a escapar do palácio.

24

O Olimpo estava silencioso demais e Paelen soube na hora que havia algo terrivelmente errado. Voando para o jardim que ficava atrás do palácio de Júpiter, ele não ouviu e nem viu ninguém. Havia pássaros, pequenos animais e insetos, mas nenhum Olímpico.

O próprio palácio estava silencioso e vazio. Ele tinha certeza de que se os Nirads tivessem conquistado o Olimpo haveria muitos sinais de destruição, mas, ao procurar, não viu nenhum sinal dos monstros.

O Olimpo estava completamente vazio.

Ordenando às sandálias que o levassem para o alto, Paelen voou sobre o palácio e deu uma olhada geral. Ninguém se movia e ele não ouvia nada.

– Olá! – Paelen gritou. – Tem alguém aqui? Responda, por favor!

A brisa suave foi tudo o que ouviu. Com o pânico começando a se instalar, Paelen ordenou que as sandálias procurassem qualquer Olímpico que estivesse na área. Elas o carregaram mais alto e, pela primeira vez, pareciam não ter certeza sobre para onde ir.

Mas então pareceram captar a essência de algo, viraram rapidamente e dispararam em frente. Paelen estreitou os olhos procurando por algum movimento abaixo, mas os prédios, o teatro e as ruas estavam estranhamente em silêncio e sem nenhum Olímpico.

As sandálias o levaram para longe do palácio e em direção ao Templo do Fogo. Quando se aproximou, viu uma movimentação no chão abaixo dele. Os olhos de Paelen se arregalaram quando viu quem era.

– Crisaor! – Paelen gritou enquanto voava até o javali alado. – Onde ela está? – ele perguntou. – O que fez com Emily?

A raiva dominou Paelen e ele atacou o javali alado, não se importando com o fato de que o animal tinha o dobro de seu peso e era bem maior que ele. Crisaor tinha se aliado aos Nirads e capturado Emily e Pegasus.

– Onde eles estão? – ele perguntou, atacando. Ele passou os braços pelo pescoço grosso do animal e tentou derrubá-lo, mas, apesar de seus esforços, Paelen não era páreo para a força de Crisaor e não conseguiu sequer movê-lo. Paelen então pulou nas costas dele e desferiu socos em suas asas, cabeça e rosto.

Apesar dos ataques, Crisaor não fez nada para se defender, ficando completamente imóvel e deixando Paelen tentar de tudo.

– Pare, Paelen! – braços seguraram sua cintura e o tiraram de cima do javali. – Pare, por favor!

Aquela voz!

– Joel! – Paelen virou-se para trás e gritou ao ver Joel tentando segurá-lo. Seus olhos se encheram de lágrimas quando viu o melhor amigo. Então, jogou os braços sobre ele e lhe deu um abraço apertado. – Achei que estivesse morto!

– Não consigo respirar... – Joel disse com dificuldade. – Paelen, pare... não consigo respirar!

Paelen soltou-o rapidamente, dominado pela emoção e mal acreditando no que via.

– Mas como? – ele perguntou. – Aquele Nirad matou você!

Voltando a respirar normalmente, Joel esfregou as costelas.

– Não, ele só me nocauteou. Mas ouça: não posso ficar muito, preciso voltar até Emily. Onde estão Júpiter e os outros?

– Não sei, acabei de chegar.

– Nós também – Joel falou. – Emily corre grande perigo. Viemos aqui para juntar um exército, mas todos desapareceram.

– Onde ela está? – Paelen perguntou. – O que aconteceu? Pegasus está com ela? – Seus olhos novamente se voltaram para o javali e sua raiva voltou. Ele apontou um dedo acusador para Crisaor.

– O que está fazendo com ele? Crisaor nos traiu!

– Sim, ele nos traiu – Joel explicou –, mas agora está nos ajudando e não temos muito tempo. Se as górgonas descobrirem que fugi, matarão a rainha Nirad e todos os seus filhos.

– As górgonas? – Paelen perguntou. – Elas estão envolvidas nisso?

– Nunca foi culpa dos Nirads. Foram elas que declararam guerra ao Olimpo.

Joel explicou como os Nirads foram escravizados pelas górgonas, que tinham transformado Diana e Apolo em pedra, e como eles descobriram que Emily tinha a habilidade de restaurar o que era petrificado.

– E por que elas estão fazendo isso? – Paelen perguntou.

– Disseram que é a vingança pela morte de Medusa, mas acho que é mais do que isso. Elas querem o poder. O plano é forçar Emily a matar Júpiter e, quando o fizer, elas assumirão o trono. – Joel começou a se afastar. – Venha, temos de encontrar todo mundo e contar o que está acontecendo.

– Espere, Joel. Não tem ninguém aqui. Pedi que as sandálias me levassem a algum Olímpico e ela só encontrou vocês. Os outros devem estar usando a Corrente Solar para procurar Emily em todos os mundos.

– Então somos só nós – Joel falou. – Temos de deter as górgonas. – Ele fez uma pausa e olhou em volta. – Onde estão Steve e Cupido?

– Cupido! – Paelen gritou. – Quase me esqueci! Ele ainda está em seu mundo e foi ferido. Tenho de levar ambrosia e néctar para ele!

Eles voaram juntos até o palácio de Júpiter e viram que a mesa de banquetes estava lá, com tigelas grandes e intocadas de ambrosia, pratos dourados com bolo de ambrosia e urnas cheias de néctar. Eles pegaram o máximo que podiam carregar e correram para os jardins do palácio.

– Vou levar isto até a cabana e depois encontrarei vocês no mundo dos Nirads – Paelen falou.

Joel sacudiu a cabeça.

– Não, eu vou com você.

– Não vai não – Paelen insistiu. – Você precisa voltar para a Emily antes que as górgonas acordem, Joel. Não há como saber o que farão se descobrirem que você sumiu. Volte para ela; eu levo a ambrosia para Cupido e depois encontro vocês.

– E como encontrará o mundo dos Nirads? – Joel perguntou. – Suas sandálias conseguirão nos rastrear pela Corrente Solar?

Paelen fez uma pausa.

– Não tenho certeza.

Joel o pegou pelo braço.

– Não vamos desperdiçar mais nosso precioso tempo. Vamos buscar Cupido e Steve e depois iremos todos juntos para o mundo dos Nirads.

– Está bem – Paelen se rendeu –, mas temos de ir rápido se quisermos que você volte antes que sintam sua falta.

Chegando à cabana, viram que o agente T. tinha feito curativos nos ferimentos de Cupido, mas o Olímpico estava pálido e continuava inconsciente.

Momentos depois de o fazerem beber néctar, ele começou a acordar e, quando seus olhos se abriram, Paelen e o agente T. o ajudaram a comer ambrosia. Cupido se alimentou como se nunca tivesse comido antes e, a cada bocado engolido, sua força voltava.

Joel ajudou Steve e Earl a beberem o néctar. O efeito era mais lento nos humanos, mas também funcionava. Steve logo acordou e conseguiu se mover um pouco. Logo já estava sentado e se alimentando sozinho. Earl demorou mais para reagir às propriedades curativas do néctar e da ambrosia, mas finalmente sua respiração se normalizou e suas queimaduras começaram a desaparecer.

– Uau, esse negócio é poderoso! – Joel disse maravilhado. – Na mitologia, se um mortal comesse ambrosia ele viraria imortal. Não sei se isso é verdade, mas ela está fazendo maravilhas por Steve e Earl.

Cupido se levantou devagar da mesa de centro onde estava deitado e ficou chocado quando seu olhar recaiu sobre Joel.

– Pensei que estivesse morto!

– Posso dizer o mesmo sobre você – disse Joel se aproximando. O Olímpico estava coberto de ataduras.

O agente T. se preocupava em ajudar Cupido a ficar em pé enquanto passava mais um bolo de ambrosia para ele. O Olímpico deu uma grande mordida e depois tomou um gole generoso de néctar. Então, levantando o copo para Paelen, perguntou:

– Você trouxe isto?

Paelen balançou a cabeça afirmativamente.

– Era o único jeito de ajudá-lo. Infelizmente não temos tempo de curar sua asa corretamente porque temos de ir.

Enquanto Steve e Cupido continuavam a comer, Paelen e Joel contaram tudo o que havia acontecido até ali.

– As górgonas estão com Emily no mundo dos Nirads e vão forçá-la a matar Júpiter quando ele chegar lá.

Paelen viu o medo passar pelo rosto do Olímpico alado. Cupido ainda ficava aterrorizado com a simples menção dos Nirads.

– É claro que não estão sugerindo que eu vá com vocês até o mundo dos Nirads, não é? – Cupido perguntou.

– Você não precisa ir, mas eu preciso – Joel insistiu. – Os Nirads estão do nosso lado, foram as górgonas que os forçaram a atacar. Eles não têm culpa e querem ajudar.

– E se as górgonas ordenarem que eles nos matem? – Cupido perguntou.

– Não acho que eles fariam isso – Joel respondeu. – Eles sabem que Emily pode restaurar seus mortos, então não farão nada contra nós. E foi um Nirad chamado Tange que ajudou Crisaor e eu a escaparmos para alertar Júpiter, mas o Olimpo está vazio. – Joel pegou um casaco. – Bom, pode ficar aqui se quiser, mas eu preciso voltar para a Emily antes que sintam minha falta.

Quando ele seguiu na direção da porta, Crisaor foi com ele, guinchando suavemente, e Paelen traduziu.

– Ele disse para você subir nas costas dele, para que possam voltar para o mundo dos Nirads.

– Esperem aí! – Steve se levantou do sofá e pegou uma camisa. – Será que ele pode carregar mais um? Quero ir com vocês!

Paelen viu no rosto do pai de Emily a mesma grande determinação que vira muitas vezes nela para saber que não adiantava convencê-lo do contrário, apesar de seus ferimentos.

– Crisaor diz que consegue levar os dois, mas que precisamos ir agora.

Quando estavam para partir, Cupido foi até eles.

– Crisaor terá de carregar três de nós. Se vão lutar com as górgonas, eu também quero ir.

– Mas e os Nirads? – Joel alertou. – Há milhões deles.

– Então é bom que você não tenha mentido para mim, Joel. Não disse que eles estão do nosso lado? Estou confiando em você.

– Cupido, não! – o agente T. gritou. – Sua asa está quebrada e você ainda não está bem. Não pode ir até os Nirads sem mim!

Cupido abaixou a cabeça e disse:

– Agente T. – disse baixinho –, venha aqui comigo. – Ele escoltou o agente da UCP até Earl, fechou os olhos e acionou seu charme. Seu poder flutuou em direção ao agente T. – Tudo o que você quer é ficar aqui e ajudar Earl. Ele é mais importante para você do que eu, mais do que qualquer um. Use suas habilidades de agente para mantê-lo seguro. Faça isso por mim e por ele.

Cupido se virou para Paelen.

– Nunca tinha tentado isso antes; espero que funcione.

O agente T. ficou parado ao lado da maca de Earl olhando para ele e acariciando seus cabelos. Em seus olhos havia um brilho fraternal pelo homem ferido.

– Isso foi muito bonito, Cupido – disse Joel.

– Beleza não tem nada a ver com isso – Cupido respondeu mal-humorado. – Não podia deixar que tentasse nos seguir e estragasse tudo. Agora, pelo menos, Earl ficará seguro enquanto se recupera. Agora vamos, por favor, antes que eu mude de ideia!

25

Do outro lado da Corrente Solar, eles se encontraram em uma caverna cheia de enormes Nirads de cor laranja e, apesar das afirmações de Joel, Paelen ainda tinha dúvidas e o medo de Cupido era perceptível.

– Está tudo bem – Joel reafirmou enquanto ele, Steve e Cupido desciam de cima de Crisaor. – Eles estavam esperando por nós.

Os Nirads abriram caminho e uma estranha criatura surgiu. Ele parecia um Nirad, mas era menor que os outros, tinha olhos cinzentos e inteligentes e feições finas e afiadas. Seu tom de pele era rosa-escuro com um efeito de marmorização preta que o fazia se destacar ainda mais dos Nirads de cor laranja na caverna.

Crisaor se aproximou do Nirad rosa e começou a guinchar. Quando ele respondeu, Paelen ficou chocado ao descobrir que podia entender.

– Eu me chamo Paelen – disse ele se curvando para o Nirad rosa.

– Quem é ele? – Joel perguntou ao se aproximar. – É da mesma cor da rainha.

– É porque é o irmão dela – Paelen explicou. – Este é o príncipe Toban. A irmã o mandou aqui com estes guardas reais para nos ajudar a derrotar as górgonas.

O príncipe fechou os olhos e levantou a cabeça. Depois olhou novamente para Paelen e emitiu vários sons estranhos.

– Ele pode falar com a irmã em silêncio, da mesma forma que a rainha se comunica com todo o seu povo com o poder do pensamento – Paelen traduziu. – É isso que a faz ser a rainha. Segan acabou de dizer que as górgonas ainda estão dormindo, mas não sabe por quanto tempo mais. Joel precisa voltar rápido.

Joel foi até Crisaor.

– Pode me levar ao palácio?

O javali abriu as asas, convidando-o a subir em suas costas.

– Direi a Emily que está aqui – Joel falou para Steve. – Isso a acalmará.

Steve deu um tapinha no ombro de Joel.

– Tome cuidado, filho, não deixe que o peguem. Diga a Emily que estarei lá assim que puder e que eu a amo.

– Pode deixar – Joel prometeu e olhou para Paelen. – Protejam-se e tomem cuidado com as górgonas. Elas têm olhos matadores!

– Você também – disse Paelen enquanto via Crisaor carregar seu melhor amigo para a saída da caverna, abrir bem as asas e partir para a noite escura.

Paelen caminhou para fora da caverna e entrou naquele mundo árido e sombrio. A distância, conseguiu ver estruturas de pedra e um brilho verde saindo da maioria das janelas, mas poucos Nirads caminhavam pela região.

Cupido emergiu da caverna com uma expressão vacilante no rosto, olhou para Toban e depois para os enormes Nirads que os cercavam.

– Se são nossos aliados, por que entregaram Diana e Apolo para as górgonas? Eles poderiam nos ajudar a derrotá-las.

O príncipe suspirou e depois respondeu. Paelen e Cupido concordaram com a cabeça.

– E então? – Steve perguntou.

Paelen respondeu sacudindo a cabeça com uma expressão triste.

– Toban disse que foi culpa da Diana, não deles. Quando ela e Apolo emergiram desta caverna, logo começaram a atacar os Nirads da vila, que não conseguiam explicar a situação e tiveram de se defender. A luta causou uma confusão tão grande que acabou alertando as górgonas, por isso a rainha não teve escolha a não ser ordenar a captura deles, senão teriam matado mais pessoas do nosso povo.

– Você acredita nele? – Steve perguntou.

– Conhecendo o temperamento de Diana? – Paelen falou. – Acredito completamente. Você a conheceu, ela não é de negociar ou esperar para ouvir detalhes, e Apolo segue a irmã em qualquer coisa. Se tivessem parado um pouco e pensado, não teriam sido capturados e estariam aqui com a gente.

O príncipe falou novamente.

– Toban se ofereceu para nos levar a um lugar seguro até estarmos prontos para ir atrás das górgonas. Não podemos ficar perto da caverna porque elas passaram a checar o lugar regularmente depois que Diana e Apolo apareceram. – Ele olhou para o pai de Emily. – E você precisa descansar.

– Eu estou bem – Steve respondeu. – Além do mais, se Júpiter está vindo, devíamos esperar aqui para alertá-lo.

Mas Paelen podia ver que ele estava longe de estar bem. Apesar de a ambrosia tê-lo ajudado muito, Steve ainda estava fraco e cambaleava um pouco ao ficar em pé. Ele precisava de mais tempo para se curar.

O príncipe sacudiu a cabeça e disse com urgência.

– Toban diz que as górgonas cometeram um erro fatal – Cupido traduziu desta vez. – Elas não sabem o quanto a rainha Segan é poderosa e inteligente. Assim que viu as habilidades de Emily e soube que ela podia curar seus mortos, chamou todos os seus guerreiros na Corrente Solar. Eles já alertaram Júpiter do perigo que está correndo e quem é o inimigo. Os Nirads não o estão trazendo aqui como prisioneiro. Júpiter os está liderando.

26

Paelen estava sentado em uma pedra lisa em uma casa de um Nirad, no meio da vila mais próxima da caverna. A mobília era esparsa e toda feita de pedras pretas entalhadas. Havia vasos de musgo espalhados pelo pequeno cômodo, e era aquele musgo vivo o responsável pelo brilho verde que era a única fonte de luz ali e que ele tinha visto de longe. Paelen tinha nas mãos uma tigela de pedra com uma gosma negra e malcheirosa e não conseguia nem pensar em comer aquilo.

Na frente dele, Steve estava deitado em uma cama de mármore. Sobre ela havia um tipo diferente de musgo verde-escuro, que servia como uma espécie de colchão vivo. Uma Nirad enorme aplicava uma pasta com um cheiro horrível no ferimento de Steve e fazia curativos no seu peito.

Quando terminou com Steve, ela se aproximou de Paelen, levou a tigela de gosma preta até perto da boca dele e grunhiu alto, mostrando uma fileira de dentes pontudos e muito afiados.

– Acho que devia fazer o que ela está dizendo e comer – Cupido o alertou encostado na parede. Sua asa tinha sido colocada no lugar e enfaixada, e a maioria de seus ferimentos tinha cicatrizado.

– Não estou com fome.

– Não é tão ruim quanto parece – disse Cupido, pegando uma boa porção da comida negra e levando à boca. Quando sua tigela ficou vazia, ele foi até o grande barril de pedra, colocou mais e continuou a comer.

Depois de acabar com sua segunda tigela, Cupido falou:

– Não seria muito inteligente ofender nossa anfitriã dentro de sua própria casa. Ela tem dois filhos presos no palácio e os nervos dela estão à flor da pele; não será preciso muito para que fique brava. Se ela quer que coma, acho melhor você comer.

Paelen sabia que a fêmea Nirad estava chateada, mas ele também estava. Seus dois melhores amigos estavam no palácio, eram prisioneiros das górgonas assassinas e não havia jeito de ajudá-los. Com relutância, levou a tigela até a boca e experimentou a comida. Enquanto ela o observava, foi forçado a engolir aquela gosma grudenta, mas Cupido tinha razão. Apesar de cheirar muito mal, o gosto até que era bom.

– Delicioso – disse sorrindo para a grande Nirad. – Muito obrigado.

Aquilo pareceu satisfazer a anfitriã, que fez um aceno de cabeça e saiu da sala.

Quando ficaram sozinhos, Steve se sentou devagar.

– Muito bem, gente. Júpiter está vindo para cá, mas Emily e Joel não sabem que ele foi alertado. Temos de entrar lá e avisá-los. Emily não deve usar seus poderes contra ele.

– Ela não fará isso – Paelen falou. – Emily nunca machucaria Júpiter.

– Tem certeza? – Steve perguntou sério. – Você conhece minha filha, Paelen; responda sinceramente. Emily se preocupa mais com Pegasus, Joel ou Júpiter? Quem ela salvaria se tivesse de escolher?

Paelen parou e pensou em tudo o que sabia sobre Emily. Ela se importava com Júpiter, mas se realmente a vida deles estivesse em jogo, não havia dúvida sobre quem ela escolheria. Ele se levantou rapidamente.

– Temos de ir até lá antes que Emily mate Júpiter.

– Então estamos de acordo? – Steve perguntou. – Deixamos os Nirads nos capturarem e nos levarem para a sala do trono.

– Não gosto desse plano – Cupido falou. – Isso fará com que sejamos transformados em pedra.

– Talvez – Paelen falou –, mas não temos escolha. Toban disse que só tem um jeito de entrar no palácio e sair dele, e temos de ir até a sala do trono. Se vocês dois distraírem as górgonas, posso dar um jeito de entrar e passar o recado para Emily e Joel; eles têm de saber que Júpiter foi avisado e está vindo para lutar com as górgonas.

– Sim, é arriscado – Steve concordou –, mas é nossa única opção. – Ele foi até o jovem príncipe. – Toban, sua irmã sabe sobre o plano, não é mesmo? – Quando o Nirad balançou a cabeça afirmativamente, Steve continuou. – Diga a ela para avisar as górgonas que vocês capturaram mais duas pessoas na caverna e as estão levando para lá.

O príncipe fechou os olhos. Um momento depois, assentiu com a cabeça e grunhiu.

– Certo, rapazes, vamos nessa!

27

Emily não conseguia tirar os olhos das estátuas de mármore de Diana e Apolo, paradas ao lado de cada trono. A dor da transformação estava esculpida em seus rostos de pedra, lembrando-a dos horrores que ainda estavam por vir.

Ela olhou para Pegasus e seu coração ficou apertado. Seu amado garanhão estava encostado nas grades da jaula, com a pesada pata de pedra levantada, e relinchava de dor sempre que ela encostava no chão.

– Não vai demorar muito agora, Pegs – ela prometeu. – Você vai ver. Joel contará a todos o que está acontecendo e Júpiter logo estará aqui; então poderei curá-lo.

Emily disse aquelas palavras para confortar Pegasus e a si própria. Parecia que anos tinham se passado desde que Joel partira e ela rezou para que Crisaor não os tivesse traído de novo e machucado Joel, ou quem sabe até tê-lo entregado às górgonas.

Assim que pensou que ficaria maluca com a espera, Tange saiu de seu posto, foi até ela e abriu a porta da jaula.

– O que foi? Joel voltou?

Tange fez que sim e olhou para a porta de entrada da sala. Emily seguiu seu olhar e ouviu o som de passos. Do outro lado a rainha se sentou e disse várias coisas importantes.

Joel finalmente apareceu e correu para a jaula. Tange manteve a porta aberta e a trancou depois que ele entrou, retornando rapidamente para o seu posto.

Joel se largou no chão de cansaço e Emily o abraçou.

– Estava com tanto medo! – ela falou. – Pensei que Crisaor pudesse ter nos traído de novo.

Joel ofegava e estava coberto de suor.

– Não, ele não fez isso – Joel balbuciou –, mas, quando chegamos aqui, ouvimos as górgonas descendo as escadas, então Crisaor precisou partir e eu tive de vir sozinho. Não poderíamos arriscar que ele fosse visto.

– Vocês foram até o Olimpo?

Joel assentiu e enxugou o rosto.

– Mas não havia ninguém lá. O Olimpo está deserto e não sabemos onde Júpiter está. – Enquanto recuperava o fôlego, Joel explicou o que tinha acontecido.

– Então o meu pai está aqui neste mundo? Ele está bem?

– Está sim – Joel falou. – Ele não poderá correr nenhuma maratona este ano, mas está de pé e se movimentando bem. Cupido também, apesar de estar com a asa quebrada.

Surpresa, Emily encostou-se nas grades da jaula. Ela sempre temera que o pai levasse um tiro um dia no cumprimento do dever, mas saber que tinha sido ferido lutando com Nirads... Ficou aterrorizada ao pensar no que poderia ter acontecido. Agora eles estavam no mesmo mundo e enfrentando as terríveis górgonas.

Antes que pudesse saber mais, as górgonas entraram voando na sala do trono e suas expressões eram mais sombrias e ameaçadoras que as do dia anterior. Elas estavam nervosas e prontas para explodir.

– Onde estão seus guerreiros que trarão Júpiter? – Esteno demandou voando até a jaula dourada. – Eles já deveriam estar aqui!

A rainha olhou para ela e falou suavemente.

– Não me interessa o que ele faz! – Esteno atacou. – Diga a eles para atacá-lo e o botarem a nocaute! Arranquem os braços dele se precisarem, mas tragam-no aqui! É por isso que escolhemos vocês para lutarem nossas batalhas; os poderes de Júpiter são inúteis contra seu povo.

Euríale se aproximou da jaula de grades trabalhadas da rainha e suas mãos de bronze flutuaram ameaçadoramente perto.

– Segan, é melhor mandar seus guerreiros resolverem isso ou mandarei trazerem mais crianças até aqui e você assistirá ao sofrimento delas quando as transformarmos em pedra!

Lágrimas escuras escorreram pelas bochechas da rainha. Ela fechou os olhos e levantou a cabeça. Depois de um tempo, abriu os olhos e falou suavemente.

Esteno sorriu satisfeita e suas pequenas asas douradas bateram e a fizeram voar até a jaula de Emily e Joel.

– Não vai demorar muito agora, Fogo do Olimpo. Júpiter acabou de entrar na Corrente Solar.

A tensão na sala do trono era imensa. As górgonas caminhavam impacientes em frente ao estrado que sustentava os tronos.

– Por que estão demorando tanto? – Euríale perguntou para a rainha. – Um Olímpico contra todos os seus guerreiros deveria ser fácil de ser contido. O que está acontecendo?

A rainha grunhiu docemente e levantou os quatro braços.

– Desculpas e mais desculpas! – Euríale trovejou. – Diga para se apressarem ou você sentirá a minha ira!

A rainha fechou os olhos e levantou a cabeça.

– Acalme-se, irmã – disse Esteno. – Nossa hora está chegando. Logo Júpiter estará morto e comandaremos o Olimpo e todos os mundos da Corrente Solar. Os assassinos de nossa amada irmã conhecerão nossa dor e nossa ira. Medusa será vingada.

– Talvez eu devesse ir até a caverna e esperar lá – Euríale sugeriu.

– Não, não deve. Quero ter o prazer de ver o rosto de Júpiter quando perceber que fomos nós que declaramos guerra a ele. Paciência, irmã! Podemos esperar um pouco mais.

Enquanto o tempo passava muito devagar, houve uma agitação fora da sala do trono e logo outro Nirad rosa entrou. Emily viu que era um macho; será que também era da realeza? Seus olhos tristes olharam para a rainha na jaula dourada antes de ele se aproximar das duas górgonas e fazer uma profunda reverência.

– Quem é esse? – Emily sussurrou. – Ele é igualzinho à rainha.

– É Toban, o irmão dela – Joel explicou. – Ele estava esperando por nós na caverna.

O príncipe continuou falando com as górgonas, depois baixou a cabeça e grunhiu algumas ordens. Todos se viraram para a entrada da sala do trono e viram vários Nirads enormes escoltando duas pessoas.

– Pai! – Emily gritou antes que conseguisse segurar, se esforçando para ficar em pé com a perna boa e pulando até a frente da jaula.

– Emily! – Steve se soltou dos guardas e correu até a jaula, passando os braços pelas grades e abraçando a filha.

Emily abraçou o pai com força e ficou agradecida por ele estar vivo. De repente, tudo estava melhor. Com ele ali, Emily poderia enfrentar praticamente qualquer coisa, mas a pequena reunião familiar foi interrompida quando Euríale voou até lá e os separou.

– Mais intrusos! – ela gritou, jogando o pai de Emily para o outro lado da sala e indo até Cupido. – Quantos Olímpicos têm aqui? Como vocês conseguem achar este mundo? Primeiro foram Diana e Apolo; agora, você. Quantos mais estão vindo?

– Somos só nós – Cupido respondeu, encarando desafiadoramente a górgona raivosa. – O pai de Emily estava desesperado para encontrá-la, então seguimos os Nirads até aqui.

Euríale virou seus olhos furiosos e letais para Tange.

– Eles seguiram seus homens! Nós dissemos para tomarem cuidado! Você falhou conosco, Nirad!

Esteno foi até ela.

– Acalme-se, irmã. Nós ordenamos que os Nirads trouxessem o pai da Chama até aqui. Que ele tenha vindo porque quis não faz diferença. Com Pegasus, Joel e o pai correndo perigo, a Chama não terá escolha a não ser nos obedecer! Este é um dia para comemorarmos!

Emily se concentrava no pai, que era ajudado por Cupido a se levantar devagar. Ele estava barbudo e com os cabelos longos e desgrenhados, mas nunca tinha parecido estar tão bem em toda a vida dela. Naquele momento, Emily prometeu a si mesma que ninguém, nem mesmo as górgonas, os separaria de novo.

Joel foi até ela e sussurrou em seu ouvido:

– Em, olhe lá na porta.

Relutante, ela parou de olhar para o pai e quase engasgou ao ver Paelen entrando na sala do trono com o corpo fino e alongado como se fosse uma cobra píton. Ele deslizava passando pelos guardas que, provavelmente sabendo que estava ali, não deram nenhum alarme. Com as górgonas concentradas em Cupido e no pai de Emily, Paelen conseguiu ir até a parte da frente da sala e se esconder atrás da jaula que prendia a rainha.

– Então, humano – Euríale falou avançando em direção a Steve. – Queria ver sua preciosa filha? Pois lá está ela, enjaulada e derrotada. Logo ela destruirá Júpiter e o Olimpo será nosso.

– Ela jamais fará isso – disse Steve olhando para Emily. – Não faça isso, Em. Nem por Pegasus e nem mesmo por mim. Está me ouvindo? Não faça isso!

Euríale explodiu de raiva e acertou Steve com tanta força que o jogou contra a jaula de Pegasus. Assustado, o garanhão começou a relinchar alto.

– Pai! – Emily gritou quando Steve caiu inconsciente no chão. – Deixe-o em paz! – Ela podia sentir o Fogo começando a trovejar em seu estômago. – Pare com isso! – gritou ela levantando as mãos. – Ou o Fogo surgirá e você sabe que não posso controlá-lo!

– Silêncio, Fogo! – disse Euríale se aproximando de Steve com as mãos esticadas e os dedos curvados como se fossem garras. Seus olhos, dourados, brilhavam e as cobras em sua cabeça se contorciam e sibilavam antecipando o momento.

– Humano tolo, agora vai conhecer meu poder!

– Irmã, não! – Esteno gritou e voou até a irmã, interpondo-se entre ela e o pai de Emily. – É isso que ele quer! Com ele morto não teremos controle sobre a Chama. Olhe para ela, mal está conseguindo conter seu poder! Se matar o pai dela agora, ela perderá o controle e destruirá todos nós. Não podemos machucá-lo ainda.

– Ainda temos Pegasus, Cupido e o garoto – Euríale desafiou com os olhos ainda brilhando. – Se ela nos enfrentar, mataremos todos eles.

– Mas este é o pai dela! – Esteno argumentou e forçou a irmã a olhar para Emily com as mãos levantadas. – Não vamos machucá-lo por enquanto, criança. Abaixe as mãos e contenha seus poderes, ou nenhum de nós sobreviverá.

Emily tremia de medo e raiva enquanto as górgonas flutuavam sobre seu indefeso pai, mas finalmente acabou abaixando as mãos e respirando fundo.

– Não toquem nele de novo – alertou –, ou juro que não me segurarei e liberarei todo o meu poder.

Esteno ordenou que Tange carregasse o pai de Emily para a jaula de Pegasus.

– Mantenha-o quieto, Pegasus – ela alertou o garanhão. – Não hesitaremos em transformá-lo em pedra se precisarmos.

Joel passou o braço em volta dos ombros de Emily para confortá-la.

– Você tem que se acalmar, Em – ele sussurrou. – Posso sentir o calor vindo de você, mas ainda não é hora de atacarmos.

Eles observaram Tange carregar o pai dela gentilmente até a cela de Pegasus e o colocar no chão. O garanhão se inclinou para ver como ele estava. Depois se virou para Emily, relinchou suavemente e fez um aceno de cabeça.

– Cuide bem dele, Pegasus – disse ela tristemente, e olhou nos olhos castanhos e calorosos de Joel. – Talvez seja a hora sim, Joel – ela sussurrou. – Talvez seja o único momento que teremos para poder atacá-las, antes que Júpiter chegue e eu seja forçada a matá-lo.

Ela olhou em volta e viu a rainha em sua jaula, Cupido sendo segurado pelos Nirads e finalmente Pegasus e seu pai na jaula oposta. Não importava o quanto pensasse, Emily não conseguia ver uma saída. Com todos os Olímpicos desaparecidos na Corrente Solar, quem viria desafiar as górgonas?

Conforme ia perdendo as esperanças, lágrimas surgiram em seus olhos e ela automaticamente colocou a mão no bolso e pegou o lenço verde para secá-las antes que descessem pela bochecha e caíssem no chão. Emily observou enquanto o bolso secreto do lenço se abria e recolhia as gotas voláteis.

Ela sentia que tinha chorado quase um oceano desde que chegara ao mundo dos Nirads, então olhou no bolso secreto do belo lenço de seda e o abriu um pouco. Bem lá dentro havia um pequeno lago. Aquelas eram as lágrimas do Fogo do Olimpo e que continham o poder do sol.

– Vamos dar um jeito de sair daqui – disse Joel.

– Como? – ela perguntou se sentindo mal. – Olhe em volta, Joel. Elas estão com meu pai, Cupido, Pegasus e você, e transformarão todos em pedra se eu não fizer o que querem.

– E depois você pode transformar todos de volta – disse uma voz fina.

Emily se virou e viu que Paelen tinha rastejado pela sala do trono e chegado à parte de trás da jaula deles.

Joel e Emily foram para o fundo da jaula e se sentaram lado a lado para esconder o amigo das górgonas.

– Ouçam – Paelen continuou com urgência. – Toban nos contou que a irmã dele já alertou Júpiter. Quando ela descobriu que você podia curar o povo dela, soube na hora que as górgonas tinham de ser detidas. Júpiter já sabe que são elas e não os Nirads que estão declarando guerra ao Olimpo e está vindo para enfrentá-las. Os Nirads vão ajudar.

– Então qual é o plano? – Joel perguntou. – O que vocês decidiram?

Houve um longo silêncio.

– Paelen? Ouviu o que o Joel perguntou? – Emily perguntou com o canto da boca. – Qual é o plano? O que faremos?

Paelen suspirou.

– Não temos um plano.

– Como assim? – Emily sussurrou.

– Nosso plano era o seu pai e Cupido distraírem as górgonas por tempo suficiente para que eu entrasse aqui e contasse que Júpiter já tinha sido avisado de tudo, e dizer que você não deve matá-lo.

– Eu não ia fazer isso – disse Emily. – Não importa o que façam comigo.

– Ah!

– Só isso? – Joel perguntou. – Só vai dizer "ah"? Júpiter está vindo para cá neste momento e as górgonas esperam que Emily o mate. Imagino que ele tenha um plano.

– Se Júpiter tem um plano, ele não contou à rainha – Paelen falou. – Tudo o que podemos fazer agora é esperar.

28

Sentada ao lado de Joel, Emily apertava sua mão enquanto esperavam a chegada de Júpiter. Paelen continuava escondido em segurança atrás deles e mantinha o corpo do menor tamanho possível. Na jaula oposta, seu pai estava em pé ao lado de Pegasus e acariciava o pescoço do garanhão. Depois de avisos estritos das górgonas, ele não tentou falar outra vez com a filha.

Emily estava atordoada. Apesar de estar muito agradecida por ver o pai novamente e saber que estava vivo, outra parte sua temia por ele e desejava que tivesse ficado na cabana. As górgonas não hesitariam em matá-lo se ela não cooperasse. Será que ela teria forças para desafiá-las com todos os que amava sendo condenados a sofrer?

Emily nunca tinha enfrentado um dilema desses na vida. Qualquer decisão que tomasse faria com que alguém sofresse. Ela era jovem demais para ter uma responsabilidade tão grande; devia estar em casa em Nova York e sua maior preocupação deveria ser o que usar no dia seguinte na escola se um menino de sua classe gostasse dela, e não se devia matar o líder do Olimpo para salvar as pessoas que amava ou enfrentar as górgonas.

Aquela decisão era grande demais e ela não estava preparada. Emily desejou mais do que nunca que a escolha fosse feita por outra pessoa, mas, gostando ou não, ela era o Fogo do Olimpo e tinha de tomar uma decisão que mudaria a existência dos mundos.

Depois do que pareceu uma eternidade, a rainha começou a falar. Instantaneamente as górgonas estavam no estrado que sustentava os tronos, esfregando as mãos em excitação.

– Mande seus guerreiros trazerem-no aqui imediatamente! – elas trovejaram comemorando.

Esteno voou até o centro da sala do trono e jogou a cabeça para trás soltando um uivo hediondo.

– Seu reino está próximo do fim, Júpiter!

Emily observou as górgonas enquanto esperavam a chegada do senhor do Olimpo e seu medo aumentou, pois não tinha ideia do que fariam ou do que aconteceria. Ela pôs a mão no bolso e sentiu a presença reconfortante do lenço; pegou-o e deu outra olhada no bolso escondido para ter certeza de que suas lágrimas ainda estavam lá. Se seus poderes falhassem, pelo menos ela ainda tinha aquilo.

– Não está planejando usá-las, né? – Paelen perguntou baixinho esticando a mão para dentro da jaula e a cutucando gentilmente.

– Não quero, mas se precisar eu usarei – Emily sussurrou. – Não podemos deixar as górgonas ganharem.

– Não seria uma grande vitória se todos fôssemos mortos por suas lágrimas – Joel acrescentou –, mas imagino que seja melhor do que deixá-las conseguir o controle do Olimpo e da Corrente Solar.

Emily ficou em silêncio. Eles tinham razão. Suas lágrimas tinham de ser o último recurso, mas, se as coisas saíssem completamente do controle, ela não teria escolha a não ser usá-las. Passos pesados foram ouvidos do lado de fora da sala do trono.

Emily sentiu Joel apertar sua mão.

– Chegou a hora – disse ele baixinho.

Conforme o som aumentava e ficava mais próximo, Emily ouviu correntes pesadas batendo e sendo arrastadas pelo chão de mármore. Logo um grupo de Nirads de cor cinza, enormes, entrou na sala do trono seguido por vários Nirads de cor laranja; no meio deles estava Júpiter.

– Ó, Meu Deus! – exclamou Joel. – O que fizeram com ele?

O líder do Olimpo estava amarrado com correntes grossas que se arrastavam pelo chão e deixavam suas costas curvadas. Suas mãos estavam amarradas atrás dele e em seu pescoço havia uma pesada coleira de metal presa a uma grossa corrente que era puxada pelo Nirad à frente, como se ele fosse um cachorrinho.

Emily ficou sem ar. Júpiter tinha o rosto muito machucado e havia sangue fresco em uma das sobrancelhas. Sua túnica, que um dia fora branca, estava rasgada e muito suja do sangue que escorria de seus braços e pernas expostos, provavelmente o resultado de uma luta terrível.

O coração de Emily se encheu de dor ao ver o majestoso líder do Olimpo reduzido a um prisioneiro todo ferido. Será que tudo aquilo tinha sido uma enganação cruel? Será que os Nirads estavam mesmo do lado deles? Olhando para Júpiter parecia que não. Será que tinha sido um plano para mantê-la em sua jaula e não usar mais seus poderes contra eles?

– Júpiter! – Emily gritou.

O líder do Olimpo olhou devagar para ela com olhos vazios e pareceu não reconhecê-la. Depois de um momento, abaixou a cabeça novamente e foi arrastado para a frente. Pegasus também chamou Júpiter, mas se ele ouviu, ignorou.

– O que aconteceu com ele? – Joel perguntou. – Os Nirads deveriam estar do nosso lado, mas veja o que fizeram! Eles o espancaram!

– Não é possível – disse Paelen. – Nunca vi Júpiter tão derrotado.

– Não sabemos o que os Nirads fizeram com ele antes de a rainha falar com seus comandados. Talvez eles sejam realmente mais fortes que Júpiter – Emily sugeriu.

– Ou talvez os Nirads não estejam mesmo do nosso lado – Joel sussurrou.

– Eles têm de estar – Paelen insistiu. – Não podemos derrotar as górgonas sem eles.

Joel se virou para Paelen.

– Espero que você esteja certo.

Emily se recostou enquanto via o desfile dos Nirads se aproximar dos tronos. Ela precisava desesperadamente acreditar que estavam do lado deles, mas, olhando o estado de Júpiter, grande parte dela não estava muito convencida.

Quando chegaram ao estrado, Júpiter foi puxado para a frente como um cão que reluta em andar. O Nirad muito alto o empurrou pelos ombros até que o líder do Olimpo ficasse ajoelhado e derrotado diante das malignas górgonas.

– Não está tão poderoso agora, hein, Júpiter? – Esteno desafiou.

Júpiter levantou a cabeça devagar e ficou sem ar ao ver as estátuas de Diana e Apolo ao lado dos tronos.

– Ah, gostou delas? – Euríale provocou. – Serão ótimas adições à nossa coleção. Adoraria que pudesse se juntar a elas em nosso jardim, mas infelizmente nossos poderes não funcionam em você. Entretanto, preparamos outras formas de entretenimento.

– O que quer, górgona? – Júpiter perguntou friamente. – Por que declararam guerra ao Olimpo?

Ele podia parecer derrotado, mas sua voz continuava forte e autoritária como sempre. Por um instante o medo surgiu no rosto das górgonas, mas foi rapidamente substituído pela raiva.

– De você não queremos nada – disse Euríale –, a menos que traga nossa amada irmã de volta.

– Medusa morreu há muito tempo e ninguém pode mudar isso, nem mesmo eu. E mesmo que pudesse, não o faria, pois ela mereceu o que recebeu.

– Medusa não merecia morrer! – Euríale gritou. – Seu filho não tinha o direito de matá-la!

– Ela estava louca – Júpiter respondeu. – Ninguém, nem mesmo vocês, podiam controlar sua sede de sangue; ela matava sem pensar. Vocês sabem que ela precisava ser detida.

– Não sabemos de nada disso – Euríale rebateu. – Ela era nossa irmã e não merecia a punição que seu filho deu a ela. Perseu não tinha o direito de levar a cabeça dela; as coisas podiam ter sido resolvidas com uma conversa.

– Conversa? – Júpiter desafiou. – O que vocês, górgonas, sabem sobre conversa, sobre ser racional? Vi a devastação que causaram neste e nos outros que foram envenenados com a presença de vocês. Estão tão loucas quanto ela e precisam ser detidas!

As duas górgonas soltaram uma gargalhada macabra que se assemelhava a gritos. Euríale se levantou e desceu do estrado.

– Detidas? Seu tolo! Estamos apenas começando, e você deveria ficar agradecido por não estar vivo para ver nossa fúria verdadeira. – Depois se virou para um dos Nirads. – Traga Cupido até aqui. Vamos mostrar a Júpiter o que planejamos para todo o povo do Olimpo.

Emily e Joel ficaram em pé e foram para a frente da jaula, enquanto um dos guardas cor de laranja se aproximou de Cupido. Emily podia ver o terror surgindo na expressão dele. Seu pior pesadelo estava se concretizando. Ele estava sendo atacado por Nirads, que o seguravam enquanto o guarda principal o pegava pelo braço e o empurrava para a frente.

– Não! – Cupido gritou. – Solte-me!

– Cupido! – Emily gritou.

– Emily! – ele respondeu abrindo as asas e as batendo em pânico enquanto tentava desesperadamente se soltar do guarda, mas ele não era páreo para a força do Nirad. – Ajude-me, por favor!

– Não há ninguém aqui que possa ajudá-lo, Cupido – disse Euríale enquanto ele era arrastado até ficar diante dela. – Veja, Júpiter, assista enquanto transformamos o filho de Vênus em pedra!

Pegasus ficou completamente louco em sua jaula, relinchando e chutando com força as pesadas grades com seus cascos frontais, enquanto o pai de Emily ficava para trás vendo a fúria do garanhão.

– Silêncio, Pegasus! – Esteno gritou. – Ou você será o próximo!

– Não! – Emily implorou. – Não faça isso, por favor! Solte o Cupido!

– E você, Fogo – Esteno gritou para ela –, fique quieta ou farei o mesmo com Joel e depois com seu pai!

– Em, por favor – Joel sussurrou para ela –, acalme-se! Você pode salvar Cupido depois.

– Como? – Emily perguntou desesperada. – Olhe para Júpiter; ele não pode lutar com elas!

– Então *nós lutaremos* – Joel insistiu. – Só precisamos sair desta jaula.

Emily e Joel olharam para a parte da frente da sala quando Cupido começou a gritar. Os olhos de Euríale brilhavam dourados e as cobras em sua cabeça se contorciam e sibilavam animadas enquanto a górgona se concentrava em Cupido.

– Emily, me ajude! – Cupido gritou quando o terror em seu rosto foi substituído por dor. As penas de suas asas abertas foram a primeira coisa a virar pedra, seguidas por seus braços e então as pernas, com o mármore se espalhando por seu corpo. Finalmente o torso e o rosto foram congelados em uma expressão de pura agonia.

O coração de Emily quase parou de dor enquanto ela olhava a estátua de Cupido fria e imóvel diante dos tronos. Ele tinha lutado por ela, feito tudo o que pediram que fizesse, e foi isso que recebeu em troca: ser torturado e transformado em pedra.

– Sinto muito, Cupido – Emily murmurou baixinho.

Os olhos dela fora até Júpiter, e ela não viu nenhuma reação do líder do Olimpo. Ele continuava de joelhos olhando para o chão, não para as górgonas e nem para Cupido.

– Ele não se importa – Emily disse com assombro e surpresa. – Olhe para ele, Joel. Júpiter não se importa com Cupido!

– Está enganada! – disse Paelen atrás da jaula. – Júpiter se importa com todos nós.

– Então por que ele não faz algo? – Emily perguntou desafiadora.

Lá na frente da sala do trono Euríale soltou um grito de satisfação.

– Está vendo, Júpiter? Este é o destino que espera todos os filhos do Olimpo!

Esteno foi em frente, se aproximou de Júpiter no chão e, com sua mão de bronze, deu um tapa violento em seu rosto.

– Primeiro assistiremos à queda do Olimpo. Depois entraremos na Corrente Solar como uma tempestade raivosa até que cada mundo nos conheça e nos venere!

Júpiter olhou para a górgona e finalmente falou.

– E se os mundos não aceitarem isso?

– Então transformaremos todos em pedra também! – Esteno respondeu. – Mas não precisa se preocupar com os outros mundos, Júpiter, pois não viverá tempo suficiente para ver a nossa glória chegar. Tudo que existe será das *górgonas*!

Euríale parou em frente a Júpiter e segurou sua longa barba, empurrando a cabeça dele para trás.

– Estes são seus últimos momentos de vida, Júpiter. É bom aproveitá-los, pois sua ampulheta está ficando sem areia.

– Não podem me destruir, Euríale, e sabem disso. Nenhuma arma pode me matar e nem mesmo o Nirad mais forte poderia provocar o meu fim. Entreguem-se agora e pouparei suas vidas.

Emily ouviu as duas górgonas que estavam paradas em frente ao derrotado líder do Olimpo caírem na gargalhada e puxarem seus cabelos e a barba para provocá-lo.

– Tem certeza de que não podemos destruí-lo? Se sim, acho que terá uma grande surpresa.

– Temos que fazer algo... – Emily olhou para Paelen, mas ele não estava mais lá, e sim rastejando por trás da jaula em direção à parte da frente da sala do trono.

– Paelen, não! – ela sussurrou. – Volte.

– Paelen, pare, elas o matarão! – Joel acrescentou baixinho.

Ele fez uma pausa.

– Não há mais ninguém vindo, somos nós que temos de salvá-lo. Tenho uma ideia, confiem em mim.

Emily queria chamá-lo de novo, mas ficou com medo de acabar chamando a atenção para ele. Em vez disso, dividiu sua atenção entre ele e Júpiter no centro da sala do trono. Ela tinha certeza de que as górgonas o veriam, mas elas estavam concentradas no líder do Olimpo; Emily então olhou para a rainha, que seguia Paelen com o olhar e uma expressão de medo em seu rosto jovem.

Do outro lado da sala, Pegasus e Steve também olhavam, e o garanhão começou a relinchar para garantir que a atenção de suas tias não se voltasse para Paelen.

– Agora não, Pegasus – Euríale falou irritada. – Seja paciente, logo estará fora da jaula.

Mas Pegasus não parou e continuou relinchando e batendo a pata no chão da jaula.

– Falei para parar! – Euríale voou nervosa até a jaula de Pegasus. – Não me faça destruí-lo quando estamos tão perto de nossa vitória!

– Deixe-o! – disse Esteno à irmã. – Já estou cansada de toda essa conversa. – Ela bateu as pequenas asas e voou até a jaula de Emily e Joel; olhou para Tange. – Abra a porta. É hora de o Fogo do Olimpo acabar com isso.

Tange olhou para Emily ao destrancar e abrir a porta da jaula.

– Você não pode lutar contra o destino, criança – disse Esteno.

Emily pulou em um pé só para o fundo da jaula e sacudiu a cabeça.

– Não farei isso! Não pode me obrigar a matar Júpiter!

– Deixem-na em paz! – Joel ficou na frente dela, protegendo-a das górgonas e de Tange. – Deixem-na em paz!

Esteno fez um aceno com a mão para Tange.

– Mate o garoto e traga Emily aqui fora.

Tange se abaixou e entrou na jaula se esforçando muito para formar as palavras "por favor". Era possível ver o desespero em seu rosto.

– Não, Tange, por favor, não machuque o Joel! – Emily implorou.

– Então pare de resistir e o garoto continuará vivo! – disse Esteno.

– Não faça isso, Em – disse Joel. – Não se preocupe comigo. O que quer que aconteça, não mate Júpiter.

Emily olhou para Joel com medo de que fosse a última vez. Eles tinham passado por muita coisa juntos, mas agora o tempo deles poderia estar no fim. Chegava a hora de fazer sua escolha, e o que quer que escolhesse não haveria vencedores. Emily o abraçou apertado e torceu para que não reparasse que estava tremendo.

– Vai ficar tudo bem, Joel – ela sussurrou baixinho, sabendo muito bem que estava mentindo. Depois beijou sua bochecha, deu-lhe um outro abraço e se virou para Tange. – Estou pronta.

Tange a levantou gentilmente, passando por Joel, e a carregou para fora da jaula. Emily percebeu que ele não trancou a porta depois de sair e Joel estava livre para sair quando quisesse. Joel também percebeu e por isso ficou perto da porta e esperou.

"Espero que ele corra quando tiver chance", ela rezou em silêncio.

Emily olhou para cima e viu a ansiosa rainha sentada ereta em sua cadeira. Ela também sabia que o fim estava próximo.

Quando chegaram em frente aos tronos e ficaram ao lado de Júpiter, que continuava de joelhos, Tange colocou Emily no chão e a ajudou a se equilibrar, passando um braço por trás de seus ombros e a apoiando.

– Júpiter – Emily implorou –, ajude-nos, por favor! Não quero fazer isso!

O líder do Olimpo levantou o rosto ferido e ensanguentado para olhar para ela e Emily pôde ver a dor e a derrota em seus olhos escuros. De repente Júpiter parecia muito velho e frágil, cansado demais para lutar.

– Você fará o que precisar fazer pelo bem do Olimpo, Emily.

– Mas que ótimo conselho! – Esteno concordou indo em frente e ficando ao lado de Emily. – Chegou a hora. Sua escolha é simples: convoque o poder do Fogo e destrua Júpiter, ou a minha irmã transformará seu amado Pegasus e o seu pai em pedras.

Emily olhou para a jaula e viu o garanhão sacudindo a cabeça e resfolegando alto, enquanto seu pai, lhe dizia "não".

Ela olhou de volta para Júpiter, depois para Pegasus e seu pai e então para Joel, que sacudia a cabeça freneticamente, e outra vez para Júpiter, mas o líder do Olimpo tinha abaixado a cabeça e não a encarou de novo. Será que estava fazendo aquilo para tornar sua escolha mais fácil? Se fosse, não estava funcionando. Cada instinto em seu corpo dizia para ela não fazer aquilo, mas então suas emoções explodiram. E o pai dela? E Pegasus? E Joel? As górgonas os matariam se se recusasse.

– Não teste minha paciência, criança – Esteno alertou.

Emily estava perto o suficiente para ouvir as cobras sibilando em antecipação à violência que estava por vir.

Em sua jaula, Pegasus continuava relinchando freneticamente e sacudindo a cabeça para a frente e para trás, e ela não precisava entendê-lo para saber o que dizia. Pegasus implorava para que não fizesse aquilo.

– Silêncio, Pegasus! – Euríale ordenou. – Você não pode dizer a ela o que fazer! – A górgona olhou para Emily. – Será que preciso transformar outra perna dele em pedra para provar que não hesitaria em matá-lo? – ela perguntou. – E como seu pai ficaria com pernas de pedra?

– Não faça isso, por favor! – Emily gritou.

– Então use seus poderes e mate Júpiter! – Esteno ordenou.

– Emily, não! – Joel gritou.

– Eu... eu... – Emily gaguejou olhando para Júpiter.

O líder do Olimpo finalmente levantou a cabeça.

– Você sabe o que deve fazer, Emily. Eu entendo.

Emily olhou em volta completamente desesperada. Ela tinha esperado e rezado por um milagre, achando que talvez todos os Olímpicos invadiriam a sala do trono no último minuto e os resgatariam. Ela não conseguia mais ver Paelen e não tinha ideia de onde estava ou o que planejava, mas, se os outros estavam tentando entrar no palácio, agora era tarde demais. O momento tinha chegado e, certa ou errada, a decisão dela estava tomada.

Emily respirou fundo, fechou os olhos e sentiu o formigamento dos poderes do Fogo dentro dela. Suas emoções cheias de dor inflamavam as chamas que mal conseguia conter. Elas queriam sair com ou sem sua permissão. O poder estava vivo, trovejando e crescendo, movendo-se da boca do estômago para os braços.

– Me perdoe – ela murmurou levantando as mãos em direção a Júpiter e liberando seu poder.

29

Paelen se escondia atrás de um Nirad. A enorme criatura sabia que ele estava lá, mas não soou o alarme. Em vez disso ele abriu os braços poderosos para oferecer mais cobertura.

Ele viu Emily parada em frente a Júpiter e lutando contra a decisão que tinha de tomar. Só havia uma coisa que podia fazer, mas será que teria força suficiente para isso?

Paelen prendeu a respiração. Ela não faria aquilo. Ou será que faria? Será que Emily mataria Júpiter para salvar os outros? Ele a viu levantar os braços, ouviu o seu pedido de perdão e depois a viu soltar as chamas...

Dois raios de luz mortais passaram pela cabeça de Júpiter e queimaram a fechadura da jaula de Pegasus. Os raios de fogo semelhantes a laser atravessaram a jaula, a parede de trás, as paredes externas de mármore do palácio e continuaram pela terra dos Nirads.

– Não farei isso! – Emily gritou com fúria, detendo as chamas antes que ficassem fora de controle. Então se virou para Esteno. – Não matarei Júpiter.

Paelen comemorou a decisão de Emily e então viu o pai dela arrebentar a porta derretida da jaula e correr em direção a

Euríale gritando de fúria. Pegasus mancava atrás dele batendo as asas queimadas e arrastando a pesada perna de pedra.

Euríale girou, com os olhos já dourados e brilhando, e o grito de agonia de Steve foi cortado quando ele e o garanhão viraram mármore branco instantaneamente. Só então todos que estavam lá entenderam. As górgonas podiam escolher quanto tempo levava para suas vítimas virarem pedra.

– Pai, não! – Emily gritou.

Steve foi congelado ao lado do Pegasus de mármore. No centro da sala, os gritos de dor de Emily se transformaram em rugidos de fúria e ela levantou as mãos para atirar em Euríale.

Ao seu lado, os olhos de Esteno ficaram dourados quando ela encarou Emily.

– Se não matar Júpiter, eu mesma extinguirei o Fogo do Olimpo!

– Cuidado, Emily! – Paelen gritou saindo de seu esconderijo, atacando a górgona, pulando e se agarrando às costas dela.

– Pelo Olimpo! – ele gritou enrolando os braços na cabeça dela e cobrindo aqueles olhos mortíferos com as mãos. Paelen ignorou as inúmeras cobras que picavam seu rosto e suas mãos enquanto segurava a górgona enraivecida. Esteno gritou e uivou, girando alucinadamente e tentando se soltar dele.

– Atire nelas! – Paelen falou para Emily. – Atire agora; detenha as górgonas!

Paelen segurou Esteno com força, mas começou a sentir suas mãos ficando frias, duras e difíceis de mexer. Seus pés e suas pernas estavam congelados e não responderam quando ele tentou pular para longe da górgona raivosa. Finalmente sua visão começou a falhar quando seus músculos foram paralisados.

– Não! – ele gritou.

A górgona embaixo dele gritou em fúria.

– Vai morrer agonizando, garoto!

De repente, Paelen percebeu seu erro. Os olhos delas não precisavam estar abertos para serem mortais. O gelo em suas mãos se espalhou pelo resto do corpo e ele já podia sentir o fluxo do sangue diminuir enquanto cada célula do seu corpo virava pedra. Paelen experimentou uma dor que nunca tinha sentido antes. Era como se estivesse congelando e pegando fogo ao mesmo tempo. Sem poder se mexer, tudo o que sentia era a dor; e então a escuridão e o nada chegaram.

30

Emily gritou quando Paelen foi transformado em pedra, enrolado na cabeça de Esteno como um chapéu grotesco. Em seu rosto de pedra havia a dor da transformação. Esteno o levantou e gritou de raiva ao jogá-lo para o lado.

Antes que seu melhor amigo caísse no chão e se quebrasse em mil pedaços, Tange soltou Emily, mergulhou para pegar Paelen e depois colocou seu corpo, petrificado de forma estranha, gentilmente no chão. Quando se levantou, Tange jogou a cabeça para trás e rugiu alto o suficiente para sacudir o palácio inteiro.

Ao seu comando, a sala do trono explodiu em uma luta ferrenha quando os enormes Nirads atacaram as górgonas, mas os olhos mortíferos delas eram mais rápidos e muito mais poderosos. Nenhum deles conseguiu chegar perto sem virar pedra instantaneamente, e o lugar logo se encheu de estátuas de mármore de Nirads.

– Júpiter! – Emily gritou, pulando em uma perna só até o Olímpico ajoelhado, e tentou soltar as pesadas correntes que o prendiam. – Nos ajude, por favor!

– Ainda não – Júpiter respondeu com os olhos bem abertos, examinando toda a sala, mas permanecendo imóvel em frente aos tronos. – Ainda não chegou a hora.

– Que hora? – Emily quis saber. – A hora que todos nós formos mortos?

– Emily! – Joel gritou correndo de sua jaula.

– Vá até ele, criança! – Júpiter a alertou. – Deixe-me aqui e faça o que tem de fazer. Lembre-se de que você é o Fogo do Olimpo!

Emily viu Crisaor correndo para dentro da sala do trono e em direção a Joel. O príncipe rosa também chegou, desviando-se das estátuas e juntando-se a eles. Mais Nirads chegaram à sala do trono e se uniram para a batalha. O som de seus grunhidos era ensurdecedor, mas não chegava nem perto dos uivos de dor que preenchiam o lugar quando os guerreiros eram transformados em pedra pelas górgonas enraivecidas.

Com relutância, Emily deixou Júpiter e se juntou aos outros, que se escondiam atrás de um muro de Nirads de pedra.

– Por que não usa seus poderes? – Joel perguntou. – Você é a única que pode detê-las!

– Não posso! – Emily respondeu. – Você sabe que não tenho controle sobre eles, Joel. Poderia acabar matando todos aqui, inclusive Júpiter!

Toban começou a grunhir e apontou para a irmã dentro da jaula. Ele pegou Joel pelo braço e tentou levá-lo para lá.

– Temos de salvar a rainha! – Joel insistiu e se virou para Emily com olhos assustados. – Não interessa o quanto você pode controlar. É nossa única chance!

– Mas e se não conseguir controlar? E se matar você?

– Nós já estamos mortos e você sabe que não podemos deixar que saiam daqui para destruir os outros mundos!

– Mas...

– Olhe a sua volta, Em! – ele gritou. – Os Nirads não podem deter as górgonas; você é a única que pode! Fique aqui, respire fundo e se acalme. Concentre-se no que precisa fazer. Você consegue, Emily, tenho certeza. Vou tentar abrir a jaula da rainha, mas se prepare para usar seus poderes.

Emily ficou olhando enquanto Joel, o príncipe e Crisaor corriam por entre os grandes Nirads de pedra. A sala ficava cada vez mais cheia de estátuas à medida que os Nirads falhavam em chegar perto o suficiente para atacar as górgonas.

No meio da sala, Júpiter ainda continuava imóvel. Estátuas de Nirads caíam a sua volta, mas ele se recusava a se mexer. "O que está esperando?", Emily pensou. "Nos ajude, Júpiter, por favor!".

Joel e o príncipe chegaram aos tronos, pularam para cima do estrado e foram em direção à escada que levava até a jaula da rainha, mas, como estavam concentrados, não viram Esteno virar seu olhar mortal na direção deles.

Mas Emily viu.

– Joel, cuidado, ela está bem atrás de você! Abaixe-se!

Ele e o príncipe gritaram em agonia ao serem transformados em pedra instantaneamente. Joel foi pego na metade das escadas e ficou com um pé no ar.

– Não! Joel! – Emily gritou quando a estátua do amigo bambeou desequilibrada quase no alto das escadas e então, como se estivesse em câmera lenta, caiu para a frente e bateu nas grades finas e trabalhadas da jaula da rainha.

Tendo de sustentar o enorme peso de ouro sobre a gaiola, as grades cederam e começaram a se dobrar. A estátua de Joel rolou escada abaixo, bateu no estrado que sustentava os tronos e depois bateu com tudo no chão de mármore. Com o impacto, o braço direito se quebrou em mil pedaços.

Emily disparou em frente, mas, momentos antes de chegar até Joel, todos os Nirads ainda vivos que estavam na sala rugiram alto e se viraram para a rainha. Segan olhava para o teto da jaula aterrorizada enquanto as grades tremiam e iam cedendo. Sem conseguirem suportar o peso do teto depois do impacto de Joel contra elas, o teto começou a descer.

– Não! – Emily gritou.

Júpiter agiu.

Ele se levantou do chão, arrebentou facilmente as correntes que o prendiam e em três passos largos chegou até a jaula de Segan. Júpiter entrou na jaula e retirou a rainha de sua cadeira, enrolando seus braços e o corpo poderoso em volta dela bem na hora que o pesado teto de ouro desabou em cima dos dois.

– Júpiter! – Emily gritou.

Tange grunhiu tristemente quando, com os outros três grandes Nirads da sala do trono, correram, subindo no estrado, e cada um em um canto começou a levantar o pesado teto dourado de cima de Júpiter e de sua rainha. Quando o fizeram, Júpiter se levantou com a rainha viva e salva em seus braços.

Tange e os outros uivaram em agonia e se esticaram para usar os quatro braços para levantar e segurar o teto dourado, enquanto Esteno veio correndo até eles.

– Todos vão morrer! – ela gritou.

A górgona direcionou seu olhar mortal para os quatro Nirads e Júpiter. Os gritos de Tange ficaram terrivelmente altos enquanto continuaram segurando o teto mesmo com os corpos sendo transformados em pedra.

Dentro da jaula destruída, Júpiter não foi afetado pelo olhar mortal e, com a rainha ainda protegida em seus braços, olhou para Esteno.

– Você e sua irmã falharam, Górgona. Deviam ter se rendido quando tiveram a chance; agora não haverá mais misericórdia.

Ao lado de Emily, Crisaor guinchou em agonia ao ser transformado outra vez em pedra.

– Devia ter se juntado a nós, criança! – Euríale disse com seu grito aterrorizante e indo em direção à Emily mirando nela os olhos assassinos. – Teríamos acolhido você como uma filha.

– Já tive uma mãe – Emily rebateu – e eu a amava. Isso já foi o suficiente; jamais me uniria a vocês.

– Então é uma tola! – Euríale gritou. – Poderia ter governado ao nosso lado. Todos os mundos da Corrente Solar seriam o seu parque de diversões e você seria uma imperatriz, mas fez sua escolha e foi a escolha errada!

Euríale levantou as mãos com seus terríveis olhos brilhando. Eles estavam mais dourados do que nunca, mais do que Emily já tinha visto.

– Acabou, Fogo do Olimpo. Você... foi... *apagada*!

Emily sentiu uma dor cortante em todas as partes do seu corpo e começou a endurecer. Ela não conseguia se mover, gritar ou respirar. Sua visão escureceu e o mundo à sua se tornou um grande borrão, antes que tudo escurecesse. Um instante depois ela tinha virado pedra.

31

Emily estava consciente. Ela não conseguia ouvir, ver ou sentir, mas continuava completamente consciente.

Será que era assim para todos os outros? Será que seu pai estava consciente e preso dentro de um invólucro de pedra? Ela estava viva ou morta? Seu coração ainda estava batendo em seu corpo de mármore? Seria aquele o seu fim, enfrentar a eternidade como uma estátua totalmente consciente? O pânico começou a se instalar em Emily quando tentou mover os dedos e nada aconteceu. Ela estava completamente imóvel.

"Não!", sua mente gritou enraivecida. Emily pensou em todos os outros que ela amava e que estavam sofrendo o mesmo que ela. Será que seu pai gritava pela liberdade silenciosamente? Não havia mais ninguém vivo para ouvir. Será que Pegasus estava sofrendo? Será que ainda sentia a dor das queimaduras mesmo enquanto seu exterior não podia se mover? Emily era a única que poderia curar todos eles, mas como poderia fazer isso se também tinha virado pedra?

Seus pensamentos e preocupações com os outros estavam alimentando o Fogo, que começou a borbulhar dentro dela, mas presa naquele invólucro de pedra e sem poder levantar os braços, ela não tinha para onde ir. Por um instante, Emily temeu que o Fogo se voltasse para dentro e consumisse seu corpo como a Fênix, que morreu nas cinzas de seu próprio fogo. Mas ela já tinha sido queimada e havia renascido uma vez, será que aquilo poderia acontecer de novo?

"Não pense nisso, Em!", ordenou a si mesma. "Pense em seu pai, no belo Pegasus e na dor em seu rosto quando foi transformado. No doce Paelen, no corajoso Joel e no belo Cupido. Pense em como tinham lutado e sofrido ao seu lado."

Emily sentiu o pânico ceder enquanto pensava nas pessoas que amava. Ela parou de temer por sua vida e seu ódio por Esteno e Euríale começou a crescer. Pensar naquelas criaturas sendo responsáveis por tanta dor e sofrimento era quase insuportável.

Quanto mais rostos de pessoas mortas passavam por sua cabeça, mais a raiva que Emily sentia fervilhava. Ela não iria deixá-las escapar depois de tudo; elas não podiam ficar livres para governar o Olimpo e todos os mundos da Corrente Solar. Ela lutaria contra aquilo, mesmo que precisasse de toda a energia que tinha sobrado em seu ser; mesmo que precisasse se queimar inteira para detê-las, Emily não deixaria as górgonas vencerem!

Ela se concentrou no Fogo, que já fervilhava com seu medo, e deixou a raiva atiçá-lo. Se ela *era* o fogo, que assim fosse. Emily finalmente se tornaria O FOGO DO OLIMPO.

Um rugido silencioso de raiva começou a soar do fundo de seu ser quando Emily invocou todos os poderes que tinha lutado tanto tempo para suprimir. Ela os alimentou, os chamou e ordenou que derretessem o invólucro de pedra que a prendia.

Emily podia sentir o calor aumentando e era exatamente como Vesta tinha dito que seria. Todo o poder do sol! Mas ela não sentia dor, apenas o aumento de sua força e de seu controle.

Quando o Fogo foi se expandindo do centro de seu ser, ela pôde se mover novamente, primeiro apenas um dedo, mas logo viria o resto.

Sua audição voltou e Emily pôde ouvir as górgonas rindo e gritando com Júpiter, provocando e celebrando a derrota dele. A voz de Euríale estava mais próxima. A górgona estava parada bem ao lado dela.

– Acabou, Júpiter. Veja como a sua incrível Chama não é mais nada além de uma pedra fria e morta. Quando nossos Nirads voltarem ao Olimpo e apagarem o que sobrou do Fogo no Templo, você conhecerá a derrota completa. A Medusa finalmente foi vingada!

Emily sentiu a pressão da mão de bronze de Euríale pousada em seu ombro. A górgona não tinha percebido ainda as mudanças que estavam acontecendo dentro dela e nem o perigo que corria ficando ali parada. Emily invocou o poder do Fogo, sua mão se soltou de sua prisão de mármore e, antes que a criatura monstruosa pudesse dizer qualquer coisa, a garota pegou sua mão de bronze e segurou com força.

– O quê...? – Euríale gritou. – Me solte!

Emily liberou todos os seus poderes. Agora ela era um vulcão ativo e prestes a entrar em erupção. O invólucro de pedra que a prendia derreteu por completo e escorreu como se fosse lava; sua temperatura subiu a um nível impossível, mas ela não sentia calor.

Euríale, por outro lado, sentiu e muito. A górgona começou a gritar quando sua mão de bronze derreteu e pingou no chão. As cobras em sua cabeça se retorciam e sibilavam enquanto iam sendo torradas por causa do calor intenso.

Emily virou a cabeça devagar e viu o rosto da górgona começar a soltar fumaça e, então, pegar fogo. Os olhos de Euríale ficaram dourados quando tentou revidar, mas Emily não virou pedra. Ela era um inferno ardente e invulnerável ao poder letal do monstro.

Esteno gritou furiosa quando viu a irmã pegando fogo e voltou seus olhos dourados e mortais para Emily, mas nada aconteceu. Quando Euríale caiu no chão, derretida e fumegante, Esteno correu em direção a Steve, colocou a mão em seus ombros e ameaçou empurrar a estátua.

– Pare agora, Fogo, ou destruirei seu pai! – ela gritou.

Isso só aumentou a fúria de Emily, que levantou as duas mãos, invocou todos os poderes que possuía e os lançou contra Esteno, que, diferentemente da irmã, simplesmente desapareceu com um sonoro "*puff!*". Cinzas escuras voaram e caíram no chão no local em que antes estivera a górgona.

Elas tinham sido vencidas.

– Emily – Júpiter chamou docemente. – Acabou, criança, chame o poder de volta.

Ela olhou para Júpiter através de seus olhos flamejantes. Ele ainda estava dentro da jaula destruída com a rainha; então a levantou e a carregou por entre as barras dobradas, tomando cuidado para não deixar que o ouro do Olimpo ferisse sua delicada pele rosa. Depois a colocou no chão e caminhou até Emily.

Júpiter levantou as mãos contra o calor abrasador dela e seu corpo inteiro começou a fumegar.

– Controle-o, Emily – disse ele estranhamente calmo. – Você pode fazer isso agora; os poderes estão sob seu comando. Chame o Fogo de volta.

Emily fechou os olhos e se concentrou para trazer o Fogo de volta, para dentro de si, imaginando que era um grande aspirador limpando uma pilha de farinha do chão. A única diferença era que, em vez de farinha, o que ela estava sugando de volta era o poder enraivecido do sol. Ao se concentrar ainda mais, sentiu as chamas obedecendo ao seu comando. Sua temperatura interna estava caindo e o Fogo foi ficando menor e mais fácil de ser contido. Ele finalmente se apagou por completo e Emily voltou ao normal.

Ela olhou para a sala devastada à sua volta: não havia nenhuma alma viva a não ser Júpiter e a rainha Nirad. Todos tinham virado pedra.

– Júpiter? – ela chamou.

Ele chegou mais perto e a envolveu com seus braços poderosos. Depois a levantou e a abraçou no abraço mais apertado e poderoso que ela já tinha recebido na vida.

– Estou tão orgulhoso de você! – disse ele beijando suas bochechas. – Você foi magnífica!

– Mas eu não... não estou entendendo – ela gaguejou. – O que aconteceu? – Ela então se lembrou de que ele não tinha feito nada quando as górgonas começaram a atacar. – Por que não nos ajudou? – ela quis saber. – Você só ficou lá ajoelhado enquanto as górgonas transformavam todos em pedra, até mesmo *eu*! Por que não as deteve?

Júpiter a colocou no chão e se ajoelhou com a perna direita diante dela.

– Perdoe-me, mas eu não podia. Quando cheguei aqui, minha única preocupação era com a rainha Nirad. Sabia que você ficaria bem e que poderia transformar de volta qualquer um que virasse pedra, mas, se a rainha morresse em sua jaula, toda a sociedade Nirad teria sido destruída.

– Mas... mas...

– Ouça o que vou dizer, criança – Júpiter disse suavemente. – Esse é o preço que devo pagar por ser o líder; tomar decisões difíceis nunca é fácil e eu não podia ajudá-la, não importa o quanto quisesse fazer isso. Você tinha de aprender a ajudar a si mesma. Até agora você temia seus poderes e, por causa disso, não conseguia controlá-los. Isso fazia com que fosse um perigo para si mesma e para o Olimpo. Mas aqui, hoje, você finalmente os aceitou, encarando seu destino e se tornando a dona do Fogo. Emily, você salvou todo mundo e derrotou as górgonas porque finalmente virou o Fogo do Olimpo, e isso é muito mais do que qualquer coisa que eu já atingi.

Emily respirou fundo.

– Mas... mas... você é Júpiter! – ela protestou. – Não há nada que não possa fazer.

Ele sorriu, se levantou e deu um beijo na testa dela.

– Agradeço a crença que tem em mim, criança, mas não sou nada sem o poder do Fogo do Olimpo me apoiando. – Ele esticou a mão. – Posso dar uma olhada no seu lenço, aquele que Netuno deu a você? Preciso checar uma coisa.

Emily entregou a peça de tecido verde com o branco de Pegasus bordado nele e observou Júpiter abrir o bolso secreto e olhar dentro.

– Funcionou perfeitamente – ele murmurou. – Preciso contar isso ao meu irmão.

– Isso o quê?

Júpiter devolveu o lenço a ela.

– Olhe dentro dele. As lágrimas sumiram.

Emily viu que ele tinha razão. O pequeno bolso estava vazio.

– O que aconteceu com elas?

– Voltaram para você e serviram como combustível para seu fogo. Quando Netuno mandou as sereias fazerem o lenço, ele se certificou de que quando precisasse das lágrimas de volta o tecido as devolveria e, ao que parece, funcionou. – Júpiter pôs um braço em volta dos ombros dela para ajudá-la a se apoiar em pé. – Agora, Emily, gostaria de se apresentá-la direito para Segan, a rainha dos Nirads.

Emily guardou o lenço no bolso e olhou para a jovem rainha com a qual tinha passado tanto tempo na mesma sala, e então curvou a cabeça.

– Majestade.

A rainha sorriu, enrolou seus quatro braços em Emily e a abraçou apertado, grunhindo baixo em seu ouvido.

– Segan está agradecendo por sua coragem e por libertar seu povo do terror das górgonas – Júpiter explicou.

Emily também sorriu.

– Não há de quê! – Depois olhou em volta e viu as incontáveis estátuas. – Mas ainda não estão totalmente livres. Temos muito trabalho pela frente para libertar todo mundo.

Segan deu um passo à frente até a estátua de seu irmão e grunhiu algumas palavras para Júpiter.

– Ela pediu um favor. Poderia fazer a gentileza de libertar o irmão dela primeiro?

Emily assentiu; eles a ajudaram a ir até o pequeno Nirad rosa.

– Espero que isso funcione – disse apreensiva, esticando a mão e segurando no braço do príncipe.

A mudança começou imediatamente. Onde sua mão encostava, a cor rosa voltava à superfície e ia se espalhando pelo corpo todo, até que ele respirou fundo e cambaleou. Segan o segurou. Então, recuperado, olhou para a irmã e grunhiu alegremente.

Emily sentiu a garganta ficar apertada com aquela ruidosa reunião. A rainha se virou para ela e falou docemente.

– Segan gostaria de apresentar o irmão dela, Toban – Júpiter traduziu.

Antes que Emily pudesse falar algo, o jovem príncipe jogou os quatro braços ao seu redor e a abraçou enquanto grunhia entusiasmado em seu ouvido.

– Não foi nada – Emily disse engasgada quando ele finalmente a soltou.

Deixando os Nirads cor-de-rosa reunidos, Emily olhou para Júpiter. – Pode me ajudar a chegar até o meu pai e a Pegasus?

– Com muito prazer – disse ele, levantando-a facilmente nos braços e a carregando com cuidado por entre as estátuas dos guerreiros Nirads até chegarem às que ela queria.

Emily sentiu uma dor no peito enquanto olhava para as expressões de dor no rosto dos dois.

Júpiter a colocou no chão e ela colocou os braços em volta do pai; ficou na ponta do pé para dar um beijo em sua bochecha.

– Volte para mim, pai.

Abraçada a ele, Emily pôde sentir a vida voltando a fluir em seu pai enquanto a pedra sumia e dava lugar à carne. Após uma respiração desordenada, Steve abriu os olhos e a encontrou em seus braços.

– Em! – ele gritou e a levantou no ar, abraçando a filha tão forte quanto Júpiter.

Lágrimas surgiram em seus olhos enquanto ele encostava o rosto nos cabelos escuros dela. – Minha Em; minha bela Em!

– Pai! – disse ela de repente, como uma garotinha.

Emily continuou agarrada ao pai. Ela tinha enfrentado a jornada mais longa de sua vida para chegar àquele momento e não queria que ele terminasse.

Steve a colocou no chão e olhou em volta, secando os olhos lacrimosos.

– O que aconteceu aqui?

Júpiter ofereceu sua mão.

– Sua filha salvou todos nós. Devia ficar muito orgulhoso dela.

– E estou! – ele respondeu contente.

Com o pai ao seu lado, Emily pulou em um pé só até Pegasus. A dor da transformação estava gravada em seu rosto e também em suas asas semiabertas. Emily passou seus braços pelo pescoço gelado de pedra do garanhão e apertou sua bochecha contra o mármore branco.

– Perdoe-me, Pegs – ela sussurrou. – Não consegui matar Júpiter para salvar você. Perdoe-me, por favor. Agora volte, preciso de você.

Embaixo de sua bochecha, ela sentiu a pedra reagir.

– Isso mesmo, continue.

Logo o garanhão de mármore esquentou e se tornou de carne novamente. Suas queimaduras foram curadas; e as penas de suas asas, restauradas. Com a respiração pesada, seus olhos se abriram e ele terminou o relincho que tinha começado quando Euríale o transformou em pedra.

– Está tudo bem, Pegs – disse Emily enquanto acariciava seu pescoço trêmulo. – Já acabou; você está bem agora!

Pegasus deu um pulo ao ver Emily parada ao seu lado e ela começou a rir da expressão de confusão que havia em seu rosto. Pegasus olhou para as estátuas à sua volta e quando seus olhos chegaram à jaula da rainha, ele relinchou alto para Júpiter.

– As górgonas morreram, Pegasus – Júpiter respondeu –, e a rainha Segan está a salvo. Ela está logo ali com o irmão. – Ele apontou para os dois Nirads cor-de-rosa. – Logo curaremos as feridas deste mundo e então retornaremos ao Olimpo.

Ele ainda continuou confuso quando relinchou baixo e ficou mais perto de Emily, que passou os braços por seu pescoço e o abraçou apertado.

– Não teria conseguido fazer isso sem você, Pegs.

Quando ele relinchou, Júpiter sorriu e acariciou seu focinho.

– Emily fez mais do que até mesmo eu poderia imaginar e tenho certeza de que contará tudo a você quando for a hora, mas agora, sobrinho, temos muito trabalho pela frente.

Com Pegasus de um lado e o pai do outro, Emily, com cuidado, foi pulando em um pé só pela sala do trono cheia de estátuas. Ela jamais admitiria para Júpiter que estava com medo de não ter poder suficiente para curar todo mundo, mas Pegasus entendeu isso e a ajudou a ir até seus melhores amigos primeiro.

Seu pai a ajudou a sentar no chão diante de Paelen, e então Emily fez um carinho na cabeça dele e o beijou na bochecha.

– Obrigado por tentar me salvar da Esteno, Paelen – ela sussurrou docemente.

Sua bochecha petrificada começou a aquecer enquanto a vida lhe retornava rapidamente. Depois de um momento, ele respirou fundo e gritou.

– Está tudo bem! – disse Emily dando-lhe um abraço apertado. – Você está salvo, Paelen. Acalme-se!

Paelen olhou apreensivo em volta e se levantou preparado para lutar novamente.

– Onde elas estão? O que aconteceu?

– Elas se foram – disse o pai de Emily, ajudando-a a ficar em pé se apoiando na perna boa.

– Para onde?

– Bom... – Emily disse constrangida. – Euríale derreteu e Esteno evaporou. Ali está o que sobrou dela. – Emily apontou para as cinzas escuras no chão da sala do trono.

Paelen olhou das cinzas para Emily.

– Você fez isso?

Ela deu de ombros.

– Fiz. Elas me transformaram em pedra também e isso me deixou *realmente* nervosa.

Paelen olhou maravilhado para ela.

– Elas a deixaram nervosa e então você as transformou em pó? – Quando ela assentiu, Paelen assobiou e um sorriso malicioso surgiu em seu rosto. – Pegasus, faça o favor de me avisar se perceber que estou deixando Emily nervosa!

Ela riu e deu um soco de leve em seu braço.

– Ele fará isso! Agora vamos, temos de ajudar Joel.

Júpiter e Steve estavam juntando pedaços do braço de pedra quebrado de Joel na frente dos tronos. O líder do Olimpo olhou preocupado para ela.

– Temo que isso talvez não funcione. Pegue isto, por favor; temos de ver o que acontece. – Ele passou para ela um pequeno pedaço de pedra.

Emily parou de sorrir ao ver que era um dos dedos de Joel. Ela o apertou em sua mão e nada aconteceu; ele continuou sendo um pedaço frio de mármore.

– O que isso quer dizer?

Júpiter se levantou.

– Não tenho certeza, mas pode significar que quando alguém é quebrado, nem mesmo os seus poderes poderão restaurar o que se quebrou.

– Está dizendo que Emily não pode curar o Joel? – Steve perguntou.

Atrás deles, Pegasus relinchou alto e bateu a pata no chão. Depois resfolegou e sacudiu a cabeça.

– Não! – Emily gritou. – Não o Joel. Eu vou curá-lo!

Antes que Júpiter pudesse detê-la, Emily se ajoelhou e tocou o rosto de Joel. Foi quando percebeu que estava faltando uma parte de sua orelha também.

– Por favor – ela rezou fechando os olhos. – Acorde, Joel, por favor! Não consigo seguir em frente sem você. – Finalmente a pedra embaixo da mão dela começou a esquentar. – Está funcionando!

Paelen se ajoelhou ao lado dela e Pegasus se aproximou. Juntos, eles se concentraram na extremidade quebrada da pedra na qual ficava seu braço direito.

– Vamos! – Paelen falou. – Cresça de novo!

Joel foi voltando a si gradualmente. Sua carne retornou, mas eles observaram a parte onde o braço tinha se quebrado cicatrizar. O ferimento se fechou e foi coberto por pele saudável, mas não nasceu um braço novo. Quando ele respirou pela primeira vez, todos viram que o braço e a orelha direitos não iam crescer novamente.

– Joel? – Emily disse suavemente.

– Em? – respondeu ele abrindo os olhos e, igual a Paelen, olhando apreensivo em volta. – E a rainha? – ele perguntou olhando para a jaula dela. Os quatro guardas de pedra ainda seguravam o teto, mas não havia mais nada lá.

– Ela está segura – Júpiter o acalmou. – Muito obrigado por sua coragem.

– Temos de contar uma coisa para você, Joel – disse Emily.

Mas antes que pudesse alertá-lo, Joel se sentou e notou a mudança imediatamente.

– Cadê meu braço? – ele perguntou confuso e com o medo surgindo em seu rosto. Ele esticou a mão esquerda e tocou o local curado na altura de seu ombro direito. – Cadê meu braço, Emily?

Ele olhou desesperado para Paelen e depois ao redor da sala.

– Digam-me onde está o meu braço!

Emily o abraçou rapidamente.

– Eu sinto muito! – disse ela com os olhos cheios de lágrimas. – As górgonas o transformaram em pedra, você caiu e seu braço se quebrou. Tentei consertar, mas não funcionou. Você o perdeu, Joel.

– Perdi? – ele perguntou em um sussurro assombrado. – E onde eu o encontro?

Emily fungou e o soltou, botando a mão no bolso para pegar o lenço e guardar as lágrimas. Enquanto as enxugava, viu Paelen entregar o dedo de pedra a Joel.

– Ele se despedaçou – Paelen falou. – Emily tentou consertar, mas...

Joel o pegou com a mão esquerda.

– Isso aqui é meu mesmo?

Paelen fez que sim com a cabeça.

– Não se preocupe, Joel. Prometo que Vulcano pode construir um melhor, e eu o ajudarei. Será um braço melhor. Lembre-se das pernas que ele construiu para si mesmo!

– E o aparelho para a minha perna – Emily acrescentou. – Ele fará isso, Joel; tenho certeza de que fará.

O coração de Emily se partiu quando os olhos assombrados de Joel se viraram para o lugar onde deveria sair seu braço. Ele estava em choque.

– Não dói nem um pouco – ele disse com tranquilidade. – Deveria doer, mas não sinto nada.

– Os poderes de Emily o curaram o máximo que era possível – Júpiter falou. – Também sinto muito por ela não poder restaurar seu braço, mas tem a minha palavra, Joel. Vulcano terá tudo o que precisar para construir um novo.

Joel ficou em pé desajeitadamente e examinou a sala toda. Várias estátuas tinham sido derrubadas e quebradas durante a batalha. Então viu dois Nirads sem cabeça.

– E aquelas estátuas?

Júpiter respirou fundo e soltou o ar devagar.

– Sinto muito, mas a maioria das quebradas está morta. Talvez as que tenham apenas pequenos ossos quebrados sobrevivam, mas se Emily não pôde restaurar seu braço, não há dúvida de que não poderá fazer nada pelos que tiveram pedaços muito grandes do corpo quebrados. Temos de sofrer pela perda deles.

– Você está bem, Joel? – Emily perguntou aproximando-se do amigo.

Ele olhou para ela com lágrimas nos olhos, mas Joel se recusava a deixá-las cair; então sacudiu a cabeça.

– Não muito. – Ele a abraçou apertado e sussurrou em seu ouvido. – Mas vou ficar.

Em seguida Emily se aproximou de Diana e Apolo. Ela sentiu um grande alívio pelo reencontro alegre e caloroso dos gêmeos e o pai deles. Ver seus rostos iluminados melhorou o clima do ambiente e Diana praguejando por não ter sido ela a destruir as górgonas também ajudou. Enquanto a irmã discursava ruidosamente, Apolo chamou Joel de lado e prometeu ensiná-lo a lutar com um braço.

A sala do trono ainda estava cheia de estátuas. O pai de Emily a levantou e a colocou nas costas de Pegasus, que a levou pela sala para que curasse os Nirads, um por um. A rainha e o príncipe estavam ao seu lado, prontos para acalmar cada um deles quando voltavam à vida.

– Ei, não se esqueça do garoto voador aqui – Paelen chamou parado ao lado da estátua de Cupido. – Pessoalmente acho que ele parece bem assim, mas talvez Vênus não fique satisfeita se o deixarmos como está.

Emily se inclinou para a frente.

– Esqueci completamente dele, Pegs!

Pegasus virou a cabeça para ela e relinchou suavemente. Havia uma fagulha brilhante em seus grandes olhos castanhos e Emily tinha certeza de que o garanhão estava rindo dela.

– Não tem graça, Pegs! Como posso ter me esquecido do Cupido? Não conte nada, por favor; ele nunca me perdoará!

Pegasus a levou até Cupido e ela esticou a mão e a encostou no alto da cabeça do Olímpico alado. Quando voltou a ser de carne e osso, ele entrou em pânico e começou a chorar aterrorizado.

– Acalme-se – Paelen falou –, você está seguro. Emily nos salvou e as górgonas viraram pó.

Cupido olhou para Emily em cima de Pegasus. Depois de uma última checada na sala, limpou a garganta, vibrou as asas curadas e arrumou a túnica, envergonhado.

– Eu não estava em pânico, Paelen – ele corrigiu abruptamente. – Estava preocupado com o fato de a Chama estar em perigo.

Paelen começou a rir e deu um tapinha nas asas de Cupido.

– Não se preocupe com minha Emily, ela pode se cuidar sozinha!

32

A tarefa de restaurar os Nirads de pedra na sala do trono pareceu levar uma eternidade.

– Venha, Pegs – disse Emily. – Vamos curar Tange e os outros. – Ela se virou para ir em direção aos Nirads cor de laranja que seguravam o teto da jaula de ouro. Segan e Toban estavam parados ao lado de Tange com as cabeças abaixadas. A rainha acariciava de leve as costas de Tange.

– Emily, pare! – Júpiter chamou. Ele estava parado com Diana, Apolo e vários Nirads enormes.

– Só vou até ali ajudar o Tange.

– Você não pode ajudá-lo – disse Júpiter. – Deixe-o ficar como está.

Emily fez uma careta e desceu das costas de Pegasus; ela se segurou na asa dele e pulou em um pé só diante de Júpiter.

– Mas eu posso trazê-lo de volta, é só você e alguns Nirads segurarem a jaula e ninguém sairá ferido.

Júpiter sacudiu a cabeça tristemente.

– Você não deve fazer isso.

O coração dela começou a bater rápido.

– Por quê? Tange foi o primeiro Nirad que foi legal comigo! Ele me mostrou que havia mais neles do que os monstros que achei que fossem. Por favor, Júpiter; preciso ajudá-lo.

Diana chegou mais perto e passou o braço em volta de Emily.

– Ouça meu pai, Emily, ele sabe o que diz.

Emily sacudiu a cabeça e se soltou.

– Não sabe não. – Então olhou para Júpiter. – Tange é uma boa pessoa e nos ajudou bastante. Por que não me deixa ajudá-lo?

– Não estou proibindo você de ajudar o Tange – disse Júpiter carinhosamente. – Estou pedindo que não faça isso. Deixe-me explicar; acredito que concordará comigo.

Ele se aproximou de Emily e a apoiou. Com Pegasus de um lado e o pai do outro, Júpiter a levou até onde estava a jaula.

– Olhe bem para isso e me diga o que está vendo.

– Vejo Tange – disse Emily olhando para a estátua de pedra do Nirad.

– Sim, e o que ele está segurando?

– A parte de cima da jaula.

– Exatamente – disse Júpiter pacientemente. – E do que a jaula é feita?

– De ouro.

– Não é qualquer ouro – Diana acrescentou. – É o mesmo ouro do seu suporte para a perna e de nossas armas.

– Ouro do Olimpo! – Paelen concluiu em voz alta quando finalmente entendeu. Ele subiu até a jaula e apontou. – Veja, Emily, Tange e os outros estão segurando o teto de ouro com as mãos, e isso os está envenenando.

– Exatamente isso – disse Júpiter tristemente. – Se você tocar em Tange ou em qualquer um dos outros, com certeza os trará de volta à vida, mas mesmo seus poderes não podem deter o envenenamento do ouro que já corre pelo corpo deles. Eles morrerão em agonia. Acredite em mim, criança, a melhor coisa a fazer por eles é deixar que fiquem onde estão.

Emily estava atordoada demais para falar. Ela olhou para Tange e viu que o mármore de suas quatro mãos estava preto por causa do envenenamento causado pelo ouro e a dor estava gravada em seu rosto de mármore, mas era uma expressão que já estava lá antes de as górgonas o transformarem. Tange sabia que estava morrendo.

– Eles sabiam que isso os mataria, mas levantaram o teto da jaula mesmo assim – ela falou.

– Que pai não faria o mesmo por sua filha? – Júpiter perguntou.

– Filha?

Júpiter concordou com a cabeça.

– Tange era o pai de Segan e se sacrificou por ela. Os outros três Nirads com ele eram seus irmãos e também eram dedicados à sobrinha. Eles se recusaram a deixar a sala do trono depois que Tange recebeu a ordem de ir ao seu mundo para buscá-la.

Emily sentiu um aperto no coração ao olhar para os quatro guardiões de pedra.

– Tange está mesmo... morto? – ela sussurrou e olhou para Steve. – Pai?

Ele a puxou em um abraço apertado e deu um beijo em sua cabeça.

– Eu faria o mesmo por você, Em, a qualquer hora.

Segan e Toban deixaram o pai deles e desceram do estrado. Emily viu rastros negros de lágrimas no rosto da jovem rainha, que se aproximou dela e disse algumas palavras.

Diana acariciou os cabelos de Emily.

– Tange disse a ela o quanto você o fazia se lembrar da filha. As duas têm o mesmo espírito e a mesma coragem. Ela diz que ele teria morrido para protegê-la também.

Aquilo partiu o coração de Emily, e, quando uma enorme tristeza se apoderou dela, a rainha Nirad a abraçou apertado e ali, juntas, as duas se uniram na dor.

Foram necessários vários dias longos e exaustivos para que as vidas de milhares de Nirads fossem restauradas naquele mundo. O ataque das górgonas tinha sido brutal e se estendia muito além dos limites do palácio.

Apesar de ainda continuar em silêncio boa parte do tempo, Joel, aos poucos, estava se acostumando a ter um braço só. Montada em Pegasus, Emily viu ele, Steve, Paelen e Crisaor brincando com um grupo de crianças Nirads e o príncipe Toban. Estando em times opostos, Crisaor veio por trás e derrubou Joel, chamando todas as crianças Nirads da sua equipe para pularem sobre ele. Ela sorriu ao ouvir os gritos de Joel e, depois, risos vindo da base daquela montanha de pessoas.

– Ele vai ficar bem, Pegs – Emily disse suavemente, dando um tapinha no pescoço do garanhão e voltando ao trabalho de restaurar a vida dos Nirads.

Júpiter, Diana, Apolo e Cupido foram para a Corrente Solar para reunir os outros Olímpicos e os levar para casa. Com tantos mundos a serem visitados, eles sabiam que demoraria um bom tempo para levar todos de volta.

Ao fim de mais um dia que parecia interminável, Emily ficou feliz ao trazer de volta à vida o último Nirad vítima das górgonas. Ela desceu das costas de Pegasus e pulou em um pé só até o Nirad lilás e, com a rainha ao seu lado, esticou a mão e o tocou no braço.

Saber que aquela era a última estátua de pedra fez a exaustão se apoderar de seu corpo. Ela tinha perdido a conta de quantos tinham sido, mas foi mais do que imaginava ser possível, e ficou feliz por seu poder ter sido suficiente para curar a todos. Quando a última estátua começou a esquentar, Emily percebeu que cada Nirad que podia ser salvo foi salvo. Uma pontada de dor a atravessou quando pensou em Tange. Igual à morte de sua mãe, a dele seria uma dor que ela carregaria pelo resto da vida.

O último Nirad voltou à vida gritando. Depois de Segan acalmá-lo, ele curvou a cabeça e se ajoelhou diante dela. Emily compartilhou a alegria do Nirad quando seus filhos vieram correndo e o abraçaram com seus quatro braços.

A rainha Segan olhou para Emily e fez um aceno com a cabeça. Elas não precisavam falar a mesma língua para se entenderem. Estava feito. Emily sorriu para ela e depois pulou em um pé só até Pegasus e beijou o focinho dele.

– Conseguimos, Pegs!

Emily acariciou seu rosto e olhou para o estranho mundo à sua volta. O lar dos Nirads ia voltando à vida aos poucos. O céu ainda era escuro e cheio de nuvens como sempre, com estranhas criaturas-morcego voando acima da cabeça de todos; ainda não havia árvores ou qualquer vida vegetal na região, e a terra era tão preta e empoeirada quanto no dia em que ela chegou. Mas mesmo assim, para Emily, aquilo era muito bonito.

– Em! – Joel chamou.

Ela olhou e viu Joel e Toban montados em Crisaor. Ele segurava o javali pela orelha com sua mão esquerda e sorria. Paelen voava ao lado deles usando suas sandálias aladas, e todos pousaram ao lado dela.

– Emily, você e a rainha precisam voltar ao palácio imediatamente! – disse Paelen.

– O que aconteceu? – ela perguntou.

O sorriso de Joel aumentou e só aquilo já deixou o dia de Emily perfeito. Seu grande amigo ficaria bem.

– Venham e vejam por si mesmas! – ele disse rindo.

Emily olhou para Segan.

– Há lugar suficiente no Pegasus para nós duas.

Quando o garanhão decolou para o céu, a rainha gritou em uma mistura de medo e excitação. Seus quatro braços apertaram tanto Emily que ela quase ficou sem ar. Eles voaram sobre a aldeia movimentada ouvindo gritos e vendo os Nirads acenando do chão, e então finalmente chegaram ao lado de fora do palácio.

– Na sala do trono – disse Paelen animado enquanto subia correndo as escadas do palácio –, rápido!

– Mas o que é? – Emily quis saber.

– Venha! – Joel gritou ansioso enquanto ele e Toban desciam de Crisaor e seguiam Paelen lá para dentro.

Pegasus carregou Segan e Emily pelas escadas da entrada. Ela não tinha voltado lá desde o dia da terrível batalha. O local de tantos sofrimentos e perdas ainda a perturbava. Quando os cascos dourados de Pegasus começaram a bater no chão de mármore, Emily ouviu vozes, muitas e muitas vozes.

– Venham logo, seus molengas! – chamou Steve, aparecendo na porta da sala do trono. Ele tinha feito a barba e cortado os cabelos, mas o melhor de tudo é que havia um enorme sorriso em seu rosto.

Os olhos de Emily se arregalaram quando Pegasus entrou na sala do trono. O lugar estava cheio de Olímpicos e Nirads reunidos em longas mesas de banquete, servidas com ambrosia e comida preta dos Nirads, e muitos risos e conversas, quando a grande celebração começou.

Os tronos das górgonas tinham sido retirados e também não havia um estrado mais elevado. Emily olhou para Segan e viu que as duas tinham percebido a mesma coisa. A jaula dourada com Tange e seus três irmãos também não estava lá.

Na cabeceira de uma mesa enorme estavam Júpiter, sua esposa Juno e seus irmãos Netuno e Plutão. Diana e Apolo se sentavam ao lado da mãe e várias cadeiras entre Júpiter e Plutão estavam vazias.

Quando o líder do Olimpo viu Emily, Segan e Pegasus parados na entrada, levantou-se e pediu silêncio para a sala. Todos se viraram para olhar para ele.

– Olímpicos e Nirads, estamos aqui reunidos para celebrar a paz entre nossos mundos. – Júpiter levantou sua taça de néctar. – E também aproveitamos para ficar de luto pela perda de familiares e amigos. Todos honramos nossos mortos!

Comemorações explodiram pela sala com todos levantando suas taças em homenagem aos que tinham perecido.

Júpiter levantou a sua uma segunda vez e pediu silêncio.

– Também estamos aqui para agradecer alguém muito especial... – enquanto falava ele olhava diretamente para Emily.

Ela sentiu o rosto ficar vermelho e o coração bater mais rápido. Pegasus se virou para ela, fez um aceno com a cabeça e relinchou alto concordando com Júpiter, enquanto Segan, com os braços ainda enrolados na cintura dela, a apertou de leve e falou docemente. Paelen se aproximou por um dos lados e pôs a mão em sua perna, enquanto Joel e Crisaor se aproximaram pelo outro lado. Seu pai esticou o braço, segurou a mão da filha e a apertou de forma tranquilizadora.

– Nenhum de nós estaria aqui hoje – Júpiter continuou – se não fosse pela coragem e força de Emily Jacobs e Pegasus. Familiares, Olímpicos e Nirads: aqui está o Fogo do Olimpo!

Epílogo

Emily e Pegasus não poderiam estar mais felizes. Desde que voltaram ao Olimpo, deu-se uma troca de experiências entre Nirads e Olímpicos, e era normal ver criaturas de quatro braços andando por lá.

Não demorou muito para Joel ganhar um novo braço, feito por Vulcano e seus melhores armeiros, do qual se orgulhava em mostrar para quem quisesse ver. O braço deu uma enorme força para Joel e, pela primeira vez desde que tinham se conhecido, ele conseguiu ganhar de Paelen no braço de ferro. Assim como o novo suporte de perna de Emily, ele era feito da mais pura prata olímpica. Vulcano abandonara o uso do ouro por causa do perigo que representava aos Nirads.

Mas o que fazia a vida de Emily estar completa era ter seu pai ali com seus amigos no Olimpo. Ela agora tinha tudo o que podia sonhar.

– Oi, pai! – Um sorriso surgiu em seus lábios ao cumprimentá-lo perto da margem do rio.

– Está rindo do quê? – ele perguntou sorridente, com as covinhas surgindo em seu rosto.

– De nada – Emily respondeu. Era interessante vê-lo de túnica branca e sandálias, algo muito diferente do seu uniforme da polícia de Nova York. Ele tinha se encaixado bem lá. – Estou muito feliz de ver você de novo.

– Eu também – disse ele pegando na mão da filha. – Percorremos um longo caminho até aqui, filha, mas conseguimos. Sua mãe ficaria muito orgulhosa de você. – Ele sorriu novamente. – Preciso que você e Pegasus venham comigo um instante; quero mostrar algo que os Nirads acabaram de trazer.

– O que é?

– Um monumento – ele respondeu. – Ele representa a união entre nossos mundos, mas Júpiter disse que não colocará no jardim dele sem que você aprove.

– Por que Júpiter precisaria da minha aprovação?

– Venha comigo e acredito que entenderá.

Eles andaram pelos belos jardins do palácio de Júpiter e avistaram Paelen e Joel, que vieram correndo até ela.

– Acabaram de arrumar tudo.

À frente, Emily viu um jardim de pedras recém-construído. Enormes pedras pretas tinham sido colocadas ali para formar um círculo alto, e o chão fora coberto com terra preta do mundo Nirad. Quando Pegasus se aproximou, a multidão de Olímpicos e Nirads se abriu para que passassem. Emily prendeu a respiração quando viu o que estava no centro do círculo.

– Tange – disse ela.

Na frente dela estavam Tange e seus três irmãos transformados em pedra com correntes das mais belas flores do Olimpo em seus pescoços. Apesar da dor esculpida em seus rostos, eles não seguravam mais o teto de ouro da jaula da rainha. Agora, seguravam uma placa de mármore preta que era o suporte de um trono e, sentada nele, havia uma estátua de uma fêmea Nirad rosa mais velha também cercada por flores perfumadas.

– Ela era a rainha original – Paelen explicou. – Quando as górgonas chegaram ao mundo Nirad, a primeira coisa que fizeram foi derrubar a estátua dela e quebrá-la em pedaços. Foi assim que Segan se tornou rainha. Como os Nirads não sofrem pelos mortos do mesmo jeito que nós, eles juntaram os pedaços de sua rainha quebrada e ofereceram o monumento a nós como uma forma de lembrarmo-nos do esforço que uniu nossos dois mundos.

Ao lado da estátua estavam Júpiter, Juno, a rainha Segan e o príncipe Toban. Eles cumprimentaram Emily com acenos de mãos e cabeças. Júpiter se aproximou e a ajudou a descer de Pegasus. Eles caminharam juntos até o monumento.

– Emily, a rainha e o príncipe nos deram seus pais para que os guardássemos. Eles querem nos mostrar sua gratidão pelo que fizemos para seu povo. Entretanto, expliquei para eles que ver Tange todos os dias pode causar dor a você, sabendo que nunca poderá tocar nele ou em seus irmãos.

Emily olhou para a estátua de Tange e depois para Segan e pôde ver a expressão de ansiedade no rosto dela. Então, sentiu a presença tranquilizadora de seu pai atrás de si e ficou agradecida por ter todas as pessoas de que gostava reunidas ali, incluindo Tange.

Ela caminhou até a rainha.

– Muito obrigada por confiar em mim. Prometo que cuidaremos muito bem de sua família. Você e todo o seu povo são muito bem-vindos para visitá-los sempre que quiserem. – Ela olhou para Júpiter. – Certo?

– É claro! – ele concordou, balançamdo a cabeça afirmativamente. – Rainha Segan, tem a minha palavra de que de hoje em diante os Nirads serão sempre bem-vindos no Olimpo!

Quando palmas, gritos e uma nova comemoração começaram, Emily voltou até Pegasus, subiu em suas costas e ficou ali sentada, admirando a reunião à sua volta.

Um grande banquete tinha sido planejado para aquela noite, mas naquele momento ela estava feliz de estar onde estava.

Ela percebeu que Paelen, Joel, Toban e Crisaor estavam juntos. Paelen olhou para Emily e acenou com um sorriso malicioso. Algo na expressão dele fazia com que ela soubesse que estavam aprontando e que não muito depois seria convidada a se divertir com eles.

Ao lado da estátua de Tange, Steve, Diana e a rainha Nirad conversavam baixinho e ela sorriu ao ver seu pai passar o braço pelos ombros de Segan.

Enquanto viveu, Tange tratou Emily como uma filha. Ele a protegeu e arriscou a vida por ela. Emily esperava que, de algum jeito, Tange soubesse que seu pai faria o mesmo por sua filha.

Não muito longe, Cupido estava ao lado da mãe, Vênus. Suas penas estavam muito arrumadas e seus cabelos, impecáveis. Ele vestia uma túnica nova e estava inacreditavelmente belo. Emily ficou imaginando se ele tinha contado à mãe o que precisou fazer com os agentes da UCP no Red Apple, mas duvidava que tivesse feito isso. Depois de um momento, Cupido sentiu os olhos dela o observando e se virou para olhá-la; fez um aceno de cabeça e deu o seu sorriso mais radiante. Emily também sorriu e acenou. Cupido a tinha surpreendido. Ele tinha superado seus medos em relação aos Nirads e convivia bem com eles.

Ela ficou agradecida por poder chamá-lo de amigo.

Pegasus relinchou e olhou para ela.

– Não se preocupe, Pegs – disse ela acariciando as penas novas de suas asas. – O Cupido foi só uma paixonite tola. Já superei isso. – Enquanto falava, seus olhos voltaram a Paelen e Joel e seu sorriso aumentou. Ela duvidava que até mesmo Pegasus soubesse quem era o dono de seu coração.

Emily olhou para o belo rosto do garanhão e começou a rir.

– O que acha de darmos um voo rápido antes que a festa comece de verdade?

Pegasus relinchou e se virou de costas para a multidão. Depois, trotou a todo galope, abriu as asas e carregou Emily para o céu.

este livro foi composto
em Adobe Garamond
em dezembro de 2011